A OUTRA VOLTA DO PARAFUSO

HENRY JAMES nasceu em 1843 em Washington Place, Nova York, descendente de escoceses e irlandeses. Seu pai era um eminente teólogo e filósofo, e seu irmão mais velho, William, também se tornou famoso como filósofo. James estudou em escolas em Nova York e, mais tarde, em Londres, Paris e Genebra; em 1862, cursou a faculdade de direito de Harvard por um curto período. Em 1865 começou a publicar resenhas e contos em periódicos norte-americanos. Já adulto, fez duas viagens à Europa, e em 1875 mudou-se para Paris, onde conheceu Flaubert, Turguêniev e outras figuras do mundo literário. Um ano depois, porém, mudou-se para Londres, onde foi tamanho seu sucesso na sociedade que confessou ter aceitado 107 convites apenas no inverno de 1878-9. Em 1898 mudou-se de Londres e foi morar na Lamb House, em Rye, Sussex. Henry James naturalizou-se britânico em 1915, e foi agraciado com a Ordem do Mérito em 1916, pouco antes de morrer, em fevereiro do mesmo ano.

Além de inúmeros contos, peças teatrais, livros de crítica literária, textos biográficos e autobiográficos e muitos escritos de viagens, James escreveu cerca de vinte romances, dos quais o primeiro, *Watch and ward*, foi lançado como folhetim na *Atlantic Monthly* em 1871. Sua novela *Daisy Miller* (1878) tornou-o um escritor conhecido em ambas as margens do Atlântico. Entre outros romances, publicou *Roderick Hudson* (1875), *The American* (1877), *The Europeans* (1878), *Washington Square* (1880), *The portrait of a lady* (1881), *The Bostonians* (1886), *The Princess Casamassima* (1886), *The tragic muse* (1890), *The spoils of Poynton* (1897), *What Maisie knew* [publicado pela Companhia das Letras com o título *Pelos olhos de Maisie*] (1897), *The awkward age* (1899), *The wings of the dove* (1902), *The ambassadors* (1903) e *The golden bowl* (1904).

PAULO HENRIQUES BRITTO nasceu no Rio de Janeiro em 1951. Poeta, contista, ensaísta, professor e um dos principais tradutores brasileiros da língua inglesa, formou-se em Português e Inglês pela PUC-Rio. É professor de tradução, criação literária e literatura brasileira na PUC-Rio, onde também defendeu mestrado em língua portuguesa. Em 2002, recebeu o título de Notório Saber na mesma instituição.

Já traduziu cerca de cem livros, entre eles volumes de poesia de Byron, Elizabeth Bishop e Wallace Stevens, e romances de William Faulkner (*O som e a fúria*), Ian McEwan (*Reparação*), Philip Roth (*O animal agonizante*), V. S. Naipaul (*Uma casa para o Sr. Biswas*), Thomas Pynchon (*O arco-íris da gravidade*) e Don DeLillo (*Submundo*). Recebeu o Prêmio Paulo Rónai da Fundação Biblioteca Nacional (1995) pela tradução de *A mecânica das águas* (Companhia das Letras), de E. L. Doctorow. Também verteu para o inglês obras de autores brasileiros como Luiz Costa Lima e Flora Süssekind.

DAVID BROMWICH é professor de literatura na Universidade Yale. Foi colaborador de revistas como *The New York Review of Books*, *The New Republic* e *The Nation*, escrevendo sobre política e cultura. É autor de *Skeptical music: Essays on modern poetry*, *Politics by other means: Higher education and group thinking* e *Disowned by memory: Wordsworth's poetry of the 1970s*, entre outros livros.

PHILIP HORNE é professor no University College de Londres. É autor de *Henry James and revision: The New York edition* (1990), editor de *Henry James: A life in letters* (1999) e coeditor de *Thorold Dickinson: A world of film* (2008). De Henry James, também editou *A London life and the reverberator* e *The tragic music*, este último para a Penguin Classics, onde coordena toda a obra do autor.

HENRY JAMES

A outra volta do parafuso

Tradução de
PAULO HENRIQUES BRITTO

Posfácio de
DAVID BROMWICH

10ª reimpressão

COMPANHIA DAS LETRAS

Copyright do posfácio © 2011 by David Bromwich
Copyright da cronologia © 2007 by Philip Horne

Grafia atualizada segundo o Acordo Ortográfico da Língua Portuguesa de 1990, que entrou em vigor no Brasil em 2009.

Penguin and the associated logo and trade dress are registered and/or unregistered trademarks of Penguin Books Limited and/or Penguin Group (USA) Inc. Used with permission.

Published by Companhia das Letras in association with Penguin Group (USA) Inc.

TÍTULO ORIGINAL
The turn of the screw

CAPA E PROJETO GRÁFICO PENGUIN-COMPANHIA
Raul Loureiro, Claudia Warrak

PREPARAÇÃO
Ciça Caropreso

REVISÃO
Jane Pessoa
Marise Leal

Dados Internacionais de Catalogação na Publicação (CIP)
(Câmara Brasileira do Livro, SP, Brasil)

James, Henry, 1843-1916.
　A outra volta do parafuso / Henry James; tradução de Paulo Henriques Britto; posfácio de David Bromwich — São Paulo: Penguin Classics Companhia das Letras, 2011.

Título original: The turn of the screw.
ISBN 978-85-63560-24-7

1. Romance norte-americano I. Título

11-05146   CDD-813

Índice para catálogo sistemático:
1. Romances: Literatura norte-americana 813

Todos os direitos desta edição reservados à
EDITORA SCHWARCZ S.A.
Rua Bandeira Paulista, 702, cj. 32
04532-002 — São Paulo — SP
Telefone (11) 3707-3500
www.penguincompanhia.com.br
www.companhiadasletras.com.br
www.blogdacompanhia.com.br

Sumário

A OUTRA VOLTA DO PARAFUSO 7

Posfácio 161
Cronologia 193

A história nos deixara, ao redor do fogo, um tanto eletrizados, mas, salvo a observação óbvia de que era horrenda, como, na noite de Natal numa casa velha, é de esperar que seja uma narrativa estranha, não me lembro de ter ouvido nenhum comentário até que alguém notou que era o único caso de seu conhecimento em que tal aflição ocorrera a uma criança. O caso, devo dizer, era o de uma aparição surgida numa casa velha semelhante àquela em que estávamos reunidos no momento — uma aparição, das mais terríveis, testemunhada por um menininho que dormia no quarto com a mãe e que a acordou apavorado; acordou-a não para que ela dissipasse seu medo e o tranquilizasse, e ele então voltasse a dormir, mas para que ela própria defrontasse, antes de conseguir fazê-lo, com a mesma visão que o abalara. Foi essa observação que provocou em Douglas — não de imediato, porém mais tarde naquela mesma noite — uma reação que teve a interessante consequência que vou relatar. Uma outra pessoa contou uma história não muito interessante, e percebi que ele não lhe dava atenção. Tomei isso como sinal de que ele próprio tinha uma narrativa a fazer e de que a nós cabia apenas esperar. Esperamos, na verdade, duas noites; mas ainda naquela primeira ocasião, antes de nos dispersarmos, Douglas comunicou-nos o que tinha em mente.

"Concordo perfeitamente — com relação ao fantasma de Griffin, ou seja lá o que for — que o fato de ter ele aparecido em primeiro lugar para o menininho, de tão tenra idade, lhe dá um toque especial. Mas, pelo que sei, não se trata da primeira ocorrência de uma espécie encantadora a envolver uma criança. Se uma criança dá ao fenômeno outra volta do parafuso, o que me diriam de *duas* crianças...?"

"Diríamos, é claro", exclamou alguém, "que elas dão duas voltas! E também que queremos ouvir essa história."

Vejo Douglas diante da lareira, da qual se aproximara para lhe apresentar as costas, encarando seu interlocutor com as mãos nos bolsos. "Ninguém além de mim, até agora, a ouviu. É de fato horrível demais." Isso, naturalmente, segundo foi afirmado por várias vozes, tinha o efeito de valorizá-la ao máximo, e nosso amigo, com uma arte sutil, preparou seu triunfo correndo os olhos por todos nós e acrescentando: "Ultrapassa todos os limites. Nada que eu conheça lhe chega perto".

"Em matéria de horror?", lembro-me de haver perguntado.

Ele parecia dizer que a coisa não era assim tão simples; que na verdade lhe faltavam palavras para qualificá-la. Passou a mão pelos olhos, fez um pequeno esgar de repulsa. "De monstruosidade — monstruosidade!"

"Ah, que delícia!", exclamou uma das mulheres.

Ele ignorou-a; olhou para mim, mas como se, em vez de me ver, visse a coisa de que falava. "Do que há de mais insólito, revoltante, horrendo, doloroso."

"Bem, sendo assim", retruquei, "sente-se aí e comece."

Ele virou-se para o fogo, deu um pontapé numa tora, ficou a contemplá-la por um instante. Então se virou para nós outra vez: "Não posso começar. Vou ter de mandá-la buscar na cidade". Essa frase provocou um gemido unânime e muitas reclamações; em seguida, com seu jeito absorto, ele explicou-se. "A história está escrita. Está numa gaveta trancada — de lá não sai há anos. Eu podia mandar um bilhete a meu criado e enviar-lhe a chave; ele podia pegar o pacote tal como está e enviá-lo." Era a mim, em particular, que Douglas parecia dirigir a proposta — parecia quase suplicar ajuda para não hesitar. Ele havia quebrado uma camada espessa de gelo, formada ao longo de muitos invernos; tivera lá suas razões para manter o silêncio por tantos anos. Os outros reclamaram do adiamento, mas eram justamente os escrúpulos dele que me encantavam. Roguei-lhe que mandasse o bilhete pelo primeiro correio e combinasse conosco fazer-nos o relato em breve; em seguida, perguntei-lhe se a experiência em questão fora sua. "Ah, graças a Deus, não!"

"E o registro escrito? Foi você quem o fez?"

"Dele só guardo a impressão. Trago-o *aqui*" — disse, levando a mão ao coração. "Jamais o perdi."

"Mas, então, o manuscrito...?"

"Está registrado numa tinta velha e desbotada, e na mais bela das caligrafias." Fez mais uma pausa. "Letra de mulher. Ela morreu há vinte anos. Foi ela quem me enviou as páginas em questão antes de morrer." Agora todos o ouviam, e é claro que não faltou quem fizesse pilhéria, ou no mínimo uma insinuação. Mas se ele pôs de lado a insinuação sem sorrir, fê-lo também sem sinal de irritação. "Era uma criatura encantadora, porém dez anos mais velha do que eu. Era a governanta da minha irmã", disse em voz baixa. "Foi a mulher mais agradável de sua condição social que já conheci, e seria merecedora de qualquer outra. Isso faz muito tempo, e o episódio em si é mais antigo ainda. Eu estava no Trinity College e encontrei-a em casa quando voltei para as férias no segundo verão. Passei muito tempo lá naquele ano — foi um belo verão; e, quando ela estava de folga, tivemos algumas conversas caminhando no jardim — conversas em que ela me pareceu tremendamente inteligente e simpática. Isso mesmo; não me venham com sorrisos irônicos: gostei muitíssimo dela e até hoje agrada-me pensar que ela também gostou de mim. Senão, não teria me contado. Nunca havia contado a ninguém. Ela não só me disse isso, como eu estava certo de que ela não contara de fato. Eu tinha certeza; estava claro para mim. Vocês vão entender por que quando ouvirem a história."

"Porque a coisa é tão assustadora?"

Ele continuava a olhar-me fixamente. "Vocês vão entender", e repetiu: "*Você* vai entender".

Olhei-o do mesmo modo. "Compreendo. Ela estava apaixonada."

Ele riu pela primeira vez. "Você *é* mesmo perspicaz. É verdade, ela estava apaixonada. Quer dizer, tinha estado apaixonada. O fato veio à tona — ela não podia contar a história sem revelá-lo. Eu percebi, e ela percebeu que percebi; mas nem eu nem ela tocamos no assunto. Lembro a hora e o lugar — o canto do gramado, a sombra das grandes faias e a tarde longa e quente de verão. Não era um cenário que desse arrepios; no entanto... ah!" Afastou-se da lareira e deixou-se cair em sua poltrona.

"Você vai receber o pacote na manhã de quinta-feira?", indaguei.

"Provavelmente só no segundo correio."

"Pois então, depois do jantar..."

"Vocês todos me encontram aqui?" Correu os olhos por nós outra vez. "Ninguém vai embora?" Era quase um tom esperançoso.

"Todo mundo vai ficar!"

"*Eu* fico — *eu* fico!", exclamaram as senhoras cujas partidas já tinham sido marcadas. A sra. Griffin, porém, pediu mais um esclarecimento. "Por quem ela estava apaixonada?"

"A história dirá", ousei responder.

"Ah, mas eu não posso esperar pela história!"

"A história *não* dirá", disse Douglas; "não de modo literal, vulgar."

"Tanto pior. Eu só entendo desse modo."

"*Você* não nos dirá, Douglas?", outra pessoa perguntou.

Ele levantou-se de um salto outra vez. "Sim — amanhã. Agora preciso me deitar. Boa noite." E mais que depressa, pegando um castiçal, deixou-nos um pouco aturdidos. Da extremidade do grande salão pardo onde nos encontrávamos, ouvimos seus passos na escada; foi então que a sra. Griffin falou. "Bem, se eu não sei por quem ela estava apaixonada, sei por quem *ele* estava."

"Ela era dez anos mais velha", disse seu marido.

"*Raison de plus* — naquela idade! Mas é admirável, da parte dele, tantos anos de silêncio."

"Quarenta anos!", Griffin acrescentou.

"E por fim esta explosão."

"Esta explosão", retruquei, "vai nos valer um serão memorável na quinta-feira"; e todos concordaram comigo que, depois disso, nada mais atrairia nossa atenção. A última história, embora estivesse incompleta e mais parecesse o mero início de um folhetim, fora contada; trocamos apertos de mãos, "castiçamos", como alguém disse, e fomos nos deitar.

No dia seguinte, fiquei sabendo que uma carta contendo a chave fora enviada, pelo primeiro correio, aos aposentos de Douglas em Londres; mas apesar — ou talvez justamente por causa — da divulgação dessa notícia nós o deixamos a sós até depois do jantar, mais exatamente até a hora da noite que melhor se adequasse à espécie de emoção em que se fixavam nossas esperanças. Então ele se tornou tão comunicativo como desejávamos que fosse, e de fato nos deu as melhores razões para estar desse modo. Ouvimo-lo outra vez diante da lareira do salão, tal como ouvíramos as parcas maravilhas da noite anterior. Ao que parecia, a história que ele nos prometera exigia, para ser bem entendida, um curto prólogo. Aproveito para deixar claro agora, logo de uma vez, que esta narrativa, a partir de uma transcrição exata que fiz muito depois, é o que apresentarei mais adiante. O pobre Douglas, antes de morrer — quando a morte já se anunciava —, confiou-me o manuscrito que lhe chegou no terceiro dia daquela temporada e que, no mesmo lugar, com grande impacto, ele começou a ler para nosso pequeno círculo silencioso na quarta noite. As senhoras que estavam de partida, e que disseram que haveriam de ficar, não ficaram, é claro, felizmente: partiram, em consequência do que já fora combinado, ardendo de curiosidade, segundo afirmaram, por conta dos prenúncios com que ele já nos havia atiçado. Mas isso teve o efeito de tornar seu público final ainda mais compacto e seleto, de mantê-lo, em torno da lareira, submetido a uma emoção comum.

O primeiro desses prenúncios era a informação de que o texto escrito relatava a história a partir de um ponto em que, de certo modo, ela já havia começado. O que importava saber, pois, era que essa sua velha amiga, a mais moça das várias filhas de um pároco pobre do interior, aos vinte anos de idade, quando começou a trabalhar como professora, viera a Londres ansiosa, por conta de um anúncio que já a levara a entabular uma breve correspondência com o anunciante. Esse anunciante, quando ela se apresentou para ser avaliada, numa casa na Harley Street que lhe pareceu enorme e imponente — esse possível cliente era um cavalheiro, um homem solteiro na flor da idade, uma figura que jamais surgira, senão em sonhos e em velhos romances, diante de uma moça confusa e ansiosa, egressa de um presbitério em Hampshire. Era fácil definir seu tipo, pois é dos que, felizmente, nunca se extinguem. Bonitão, confiante, simpático, informal, alegre e bondoso. A ela pareceu, como era inevitável, galante e esplêndido, mas o que mais a impressionou e lhe inspirou a coragem que manifestou depois foi o fato de que ele lhe apresentou a situação como se fosse uma espécie de favor, um obséquio pelo qual lhe ficaria grato. Ela imaginava-o rico, porém terrivelmente extravagante — via-o num nimbo de elegância, beleza, hábitos caros, modos encantadores com as mulheres. Sua residência na cidade era um casarão cheio de espólios de viagens e troféus de caça; mas era para sua casa no interior, a velha mansão da família em Essex, que ele desejava vê-la partir de imediato.

Ele se tornara, por efeito da morte dos pais delas, na Índia, tutor de duas crianças, um sobrinho e uma sobrinha, filhos de um irmão militar, mais jovem, que falecera dois anos antes. Essas crianças tornaram-se, pelo mais estranho dos acasos para um homem em sua situação — um homem só, sem a experiência e a paciência necessárias —, um ônus imenso para ele. A coisa resumia-se a uma grande preocupação e, da parte dele, sem dúvida, a uma série de equívocos, mas ele tinha muita pena das pobrezinhas e por elas fizera tudo de que fora capaz; assim as enviara para a outra casa, pois certamente o lugar apropriado para elas era o campo, e lá as mantinha, desde o início, sendo cuidadas pelas melhores pessoas que pôde encontrar, abrindo mão até mesmo de seus criados para que as servissem, e indo vê-las sempre que podia, para saber se estavam bem. A dificuldade residia no fato de que as crianças praticamente não tinham outros parentes e, quanto a ele, de que os negócios ocupavam todo o seu tempo. Ele entregara às crianças a casa de Bly, um lugar salutar e protegido, e deixara a pequena família — apenas no que se referia às questões práticas da casa — aos cuidados de uma mulher excelente, a sra. Grose, de quem, ele estava certo, ela haveria de gostar e que fora outrora criada da mãe dele. Era no momento a administradora da casa e atuava também, por ora, como preceptora da menininha, à qual, não tendo ela filhos, era, por sorte, extremamente apegada. Havia muita gente para ajudar, mas sem dúvida a jovem que iria para lá na condição de governanta seria investida da máxima autoridade. Nas férias, ela teria também de cuidar do menino, que fora enviado para um colégio — era ainda muito pequeno para isso, mas que outra coisa se poderia fazer? — e que, agora que as férias se aproximavam, voltaria à casa a qualquer momento. De início, as crianças foram cuidadas por uma jovem que por infelicidade elas haviam perdido. Essa jovem fora muito boa para elas — era uma pessoa extremamente respeitável —, porém morrera, e fora esse o grande transtorno que não deixara outra alternativa senão o colégio para o pequeno Miles. A sra. Grose, desde então, fazia o que podia por Flora; havia também uma cozinheira, uma criada, uma leiteira, um velho pônei, um velho cavalariço e um velho jardineiro, todos igualmente respeitáveis sob todos os aspectos.

Douglas havia apresentado o quadro até esse ponto, quando alguém fez uma pergunta. "E de que morreu a antiga governanta? De excesso de respeitabilidade?"

A resposta de nosso amigo foi imediata. "Isso virá à tona. Não antecipo."

"Perdão — pensei que era justamente isso que estivesse fazendo."

"Se eu me visse no lugar da sucessora dela", arrisquei, "haveria de querer saber se o cargo representava..."

"Um risco à vida?" Douglas completou meu pensamento. "Ela quis saber, sim, e ficou sabendo. Vocês ouvirão amanhã o que ela soube. Nesse ínterim, é claro, a situação lhe pareceu ligeiramente sinistra. Ela era jovem, inexperiente, nervosa: era uma perspectiva de obrigações sérias e pouca companhia, de muita solidão, na verdade. Hesitou — pediu uns dois dias para consultar pessoas e pensar. Mas o salário oferecido excedia em muito suas modestas expectativas, e numa segunda entrevista ela respirou fundo e aceitou." E Douglas, neste ponto, fez uma pausa que, em benefício do grupo, me levou a intervir:

"A moral da história, claro, é que o rapaz esplêndido a seduziu. Ela sucumbiu à sedução."

Douglas levantou-se e, tal como fizera na véspera, foi até a lareira, mexeu numa das toras com o pé e ficou parado por um momento, de costas para nós. "Ela só o viu duas vezes."

"Sim, e é justamente aí que está a beleza de sua paixão."

Um pouco para minha surpresa, ao ouvir isso Douglas virou-se para mim. "*Era* essa mesmo a beleza. Outras", ele prosseguiu, "não haviam sucumbido. Ele foi franco com ela em relação a sua dificuldade — disse-lhe que várias candidatas consideraram as condições proibitivas. De algum modo, elas simplesmente davam a impressão de ter medo. A coisa parecia tediosa — parecia estranha; mais ainda por causa da condição principal que ele impunha."

"Que era...?"

"Que ela não deveria nunca incomodá-lo — nunca, jamais: nem apelar para ele, nem reclamar, nem escrever-lhe a respeito de qualquer assunto; teria de enfrentar todos os problemas sozinha, receber todas as remessas de dinheiro do advogado dele, assumir toda a situação e deixá-lo em paz. Ela prometeu que o faria, e a mim contou que quando, por um momento, aliviado, deliciado, ele segurou sua mão, agradecendo-lhe o sacrifício, ela já se sentiu recompensada."

"Mas foi só essa a recompensa dela?", uma das senhoras perguntou.

"Ela nunca mais voltou a vê-lo."

"Ah!", exclamou a senhora; e foi essa, visto que nosso amigo imediatamente se afastou de nós, a única outra palavra importante sobre o assunto até que, na noite seguinte, junto à lareira, na melhor poltrona, ele abriu a capa vermelha desbotada de um álbum fino, antiquado, de bordas douradas. A narrativa acabou levando mais de uma noite, mas na primeira delas a mesma senhora fez outra pergunta. "Que título deu a ela?"

"Não tenho um título."

"Ah, mas *eu* tenho!", disse eu. Porém Douglas, sem me dar atenção, já havia começado a ler, num belo tom límpido que era como uma tradução sonora da esmerada letra da autora.

I

Lembro-me de todo o início como uma sucessão de voos e quedas, uma pequena gangorra de palpitações boas e más. Tendo me elevado, na cidade, à altura do apelo dele, vivi, é certo, alguns dias péssimos — dei por mim cheia de dúvidas outra vez, tive certeza de que cometera um erro. Nesse estado de espírito, passei muitas horas numa diligência a sacolejar e balançar, indo em direção à parada onde viria a meu encontro um veículo enviado da casa. Tal comodidade, fui informada, havia sido providenciada, e encontrei, ao cair da tarde de junho, um cabriolé confortável à minha espera. Viajando àquela hora, num dia tão bonito, num campo onde a doçura do verão parecia me oferecer as boas-vindas, minha coragem voltou a ganhar força e, quando entramos na alameda, encontrou um alívio temporário que provavelmente vinha apenas provar o quanto ela havia decaído. Creio que eu previra, ou temera, me ver diante de algo de tal modo melancólico que o que de fato encontrei proporcionou-me uma surpresa boa. Lembro que me causaram uma impressão muito agradável a fachada larga e límpida, as janelas abertas com cortinas novas e as duas empregadas olhando para fora; lembro-me do gramado e das flores de cores vivas e do ruído das rodas de meu cabriolé sobre o cascalho e do aglomerado de copas de árvores sobre as quais gralhas voavam em círculos e grasnavam no céu dourado. Havia na cena uma grandeza que a tornava algo bem diverso do meu pobre lar, e imediatamente surgiu à porta, de mãos dadas com uma menininha, uma pessoa cortês que me fez uma mesura tão reverente quanto se eu fosse a dona da casa ou uma visitante de distinção. Na Harley Street a casa me fora descrita em termos mais modestos, e esse fato, quando o relembrei, fez-me ter o proprietário em mais alta conta do que antes, levando-me a pensar que eu viria a desfrutar algo mais do que o prometido.

Não tive mais nenhuma queda senão no dia seguinte, pois foram triunfais as horas que se seguiram, em que fui apresentada à minha pupila mais jovem. A menininha que acompanhava a sra. Grose pareceu-me de imediato uma criatura tão encantadora que haveria de ser um privilégio estar em contato com ela. Era a criança mais bela que eu jamais vira, e depois fiquei a me perguntar por que meu empregador não me falara mais a seu respeito. Dormi pouco naquela noite, de tão excitada; e também isso me surpreendeu, lembro-me, permaneceu comigo, somando-se à sensação de generosidade com que me sentia tratada. O quarto, espaçoso e imponente, um dos melhores da casa, a enorme cama de baldaquino, quase digna de um rei, as abundantes colgaduras estampadas, os espelhos compridos nos quais, pela primeira vez, pude me ver da cabeça aos pés, todas essas coisas me pareciam — tal como o encanto extraordinário de minha pequena pupila — vantagens adicionais. Outra vantagem adicional, como ficou claro desde o início, era o relacionamento que eu teria com a sra. Grose, algo a respeito do qual eu tivera, a caminho da casa, no cabriolé, pensamentos um tanto negativos. De fato, a única coisa neste primeiro momento que poderia ter-me feito recuar outra vez era a evidente felicidade dela em me ver. Bastou-me meia hora para perceber que ela estava tão feliz — aquela mulher corpulenta, simples, feiosa, limpa, saudável — que chegava mesmo a conter-se para não exibir tal felicidade de modo excessivo. Já naquele momento passei a me indagar por que motivo ela haveria de não querer exibi-la, e esse fato, se eu refletisse sobre ele, desconfiada, decerto poderia ter-me posto apreensiva.

Porém era um conforto pensar que nada poderia me causar apreensão no que dizia respeito a algo tão beatífico quanto a imagem radiante de minha menininha, visão de beleza angelical que provavelmente era mais responsável do que qualquer outra coisa pela inquietude que, antes do amanhecer, me levara a levantar-me várias vezes e ficar andando de um lado a outro do quarto para assimilar todo o cenário e a situação; para contemplar, da minha janela aberta, a pálida alvorada estival, examinar as partes do restante da casa ao alcance da minha vista e tentar escutar, enquanto na penumbra que já se esvaía os primeiros pássaros começavam a chilrear, a possível recorrência de um ou dois ruídos, menos naturais e não externos, porém internos, que eu julgava ter ouvido. Uma vez imaginei reconhecer, tênue e distante, o grito de uma criança; em outra ocasião dei por mim assustando-me ao ouvir passar pela minha porta passos leves. Mas essas fantasias não eram tão nítidas que não pudessem ser descartadas, e é só à luz, ou talvez, melhor dizendo, à treva de outras ocorrências subsequentes que elas agora me voltam à mente. Observar, ensinar e "formar" a pequena Flora seria claramente a base de uma existência feliz e útil. No rés do chão havíamos combinado que após esta primeira ocasião eu ficaria com ela todas as noites, sua caminha branca já tendo sido instalada, com esse objetivo, em meu quarto. Eu havia assumido todos os cuidados com ela, e se, apenas por esta última vez, ela permanecia com a sra. Grose, era em consideração à minha inevitável condição de estranha e à natural timidez da menina. Apesar dessa timidez — que a criança, do modo mais surpreendente, admitia com franqueza e coragem, permitindo que o sentimento, sem nenhum sinal de embaraço, com aquela profunda e doce serenidade das crianças santas de Rafael, fosse discutido, atribuído a ela e considerado por nós —, tinha eu plena certeza de que com o tempo ela haveria de afeiçoar-se a mim. Fazia parte do que já me agradava na sra. Grose o prazer que eu percebia lhe causar com meus sentimentos de admiração e maravilhamento, quando me via sentada à mesa de jantar com quatro velas compridas, e diante de minha pupila, numa cadeira alta com um babador, olhando-me com alegria, entre as velas, tomando leite com pão. Naturalmente, havia coisas que, na presença de Flora, só podiam se passar entre nós sob forma de olhares prodigiosos e agradecidos, alusões obscuras e indiretas.

"E o menininho, ele se parece com a irmã? Também é tão extraordinário?"

Não se devia lisonjear uma criança. "Ah, senhorita, ele é mesmo extraordinário. Se esta aqui já a agrada tanto!" E ficou, com um prato na mão, a sorrir para nossa amiguinha, que olhava ora para uma, ora para a outra, com seus olhos tranquilos e celestiais onde nada havia que nos coibisse.

"Sim; se esta...?"

"A senhora ficará deslumbrada com o pequeno cavalheiro!"

"Pois bem, creio que é para isso mesmo que estou aqui — para me deslumbrar. Devo confessar, porém", lembro que um impulso me levou a acrescentar, "não é nada difícil me deslumbrar. Já me deslumbrei em Londres!"

É como se eu ainda visse à minha frente o rosto largo da sra. Grose ao ouvir essa declaração. "Na Harley Street?"

"Na Harley Street."

"Bem, a senhora não foi a primeira — nem terá sido a última."

"Ah, não tenho nenhuma pretensão", retruquei, rindo, "de ser a única. Mas meu outro pupilo, pelo visto, volta para casa amanhã, não?"

"Amanhã, não — na sexta-feira. Ele chega tal como a senhora chegou, na diligência, aos cuidados do condutor, e vai ser recebido pelo mesmo cabriolé."

Imediatamente retruquei que a coisa apropriada, e simpática, a se fazer seria eu aguardar a chegada da diligência acompanhada de sua irmãzinha, uma ideia aprovada de modo tão enfático pela sra. Grose que de alguma forma interpretei sua atitude como uma espécie de promessa tranquilizadora — a qual foi sempre cumprida, graças a Deus! — de que estaríamos de acordo a respeito de todas as questões. Ah, como ela estava feliz com a minha presença!

O que senti no dia seguinte não foi, creio, nada que pudesse ser chamado com justiça de uma reação à alegria da chegada; o mais provável é que fosse, no máximo, uma leve sensação de opressão produzida por um reconhecimento mais completo, enquanto eu andava ao redor dela, observava com atenção e assimilava. Essa realidade, por assim dizer, tinha uma extensão e um peso para os quais eu não estava preparada, e na presença dela dei por mim, novamente, um pouco assustada, bem como um pouco orgulhosa. As lições, com toda essa agitação, sem dúvida sofreram algum atraso; refleti que meu primeiro dever era, pelos métodos mais suaves de que eu fosse capaz, conquistar a criança para fazê-la sentir que me conhecia. Passei o dia com ela ao ar livre; disse-lhe, para sua imensa satisfação, que seria ela, e mais ninguém, quem me mostraria a propriedade. E a menina o fez, passo a passo, cômodo a cômodo, segredo a segredo, brindando-me com um impagável e delicioso relato infantil, e o resultado foi que, em meia hora, ficamos amicíssimas. Apesar de sua tenra idade, ela impressionou-me, ao longo de nossa pequena excursão, com a confiança e a coragem que manifestava nos recintos vazios e corredores monótonos, nas escadas curvas que me faziam hesitar, e até mesmo no alto de uma velha torre quadrada, munida de balestreiros, que me causou tontura, com sua música matinal, sua propensão para me dizer muito mais do que me perguntava, anunciava ou sugeria. Nunca mais vi Bly desde o dia em que de lá parti, e estou certa de que para meus olhos mais velhos e mais bem informados a propriedade agora me pareceria bem diminuída. Mas enquanto minha pequena guia, com seus cabelos dourados e seu vestido azul, dançava à minha frente, virando esquinas e descendo corredores, tinha eu a visão de um castelo romântico habitado por uma fada rósea, o tipo de lugar que, para uma mente jovem, deixaria longe os livros de histórias e os contos de fada. Estaria eu a cochilar e a sonhar com um livro de histórias no colo? Não; aquilo era mesmo uma casa grande, feia e antiga, porém habitável, guardando alguns traços de um prédio ainda mais velho, substituído em parte, desusado em parte, em que eu tinha a fantasia de estarmos quase tão perdidas quanto os passageiros de um imenso navio à deriva. Pois bem, por estranho que parecesse, quem estava ao leme era eu!

2

Isso ficou claro para mim quando, dois dias depois, fui de cabriolé com Flora receber, como dizia a sra. Grose, o pequeno cavalheiro; mais ainda por efeito de um incidente que, por se apresentar na segunda tarde, muito me havia desconcertado. O primeiro dia fora, de modo geral, como já disse, tranquilizador; porém ele haveria de terminar numa tensa apreensão. A mala do correio, à noitinha — ela chegou tarde —, continha uma carta para mim, a qual, porém, na caligrafia de meu patrão, limitava-se a umas poucas palavras referentes a outra missiva, a ele endereçada, com o lacre ainda intacto. "Esta, reconheço, é do diretor do colégio, um indivíduo terrivelmente maçante. Por favor, leia-a; entenda-se com ele; mas, veja lá, não me faça relatos. Nem uma palavra. Estou de partida!" Rompi o lacre com grande esforço — tanto que demorei um bom tempo para fazê-lo; por fim, levei a carta ainda por abrir até meu quarto e só fui lê-la pouco antes de me deitar. Eu deveria tê-la deixado esperando até a manhã seguinte, pois proporcionou-me uma segunda noite de insônia. Sem ter a quem recorrer, no dia seguinte fiquei atormentada; por fim, senti-me de tal modo abalada que decidi me abrir ao menos com a sra. Grose.

"O que isso significa? O menino foi desligado da escola."

Ela dirigiu-me um olhar que me chamou a atenção no momento; em seguida, visivelmente, assumindo mais que depressa uma expressão neutra, pareceu recolhê-lo. "Mas não foram todos...?"

"Mandados para casa — sim. Porém só de férias. O Miles não pode mais voltar."

De modo consciente, sob meu olhar, ela corou. "Não o querem mais lá?"

"Recusam terminantemente a aceitá-lo."

Ao ouvir isso, ela levantou os olhos que havia desviado de mim; vi que eles estavam cheios de lágrimas boas. "O que foi que Miles fez?"

Hesitei; então julguei que o melhor era apenas entregar-lhe a carta — o que, porém, teve o efeito de fazer com que ela, em vez de pegá-la, se limitasse a levar as mãos para trás. Balançou a cabeça com tristeza. "Essas coisas, senhora, não são para mim."

Minha conselheira não sabia ler! Estremeci diante de meu equívoco, atenuando-o da melhor maneira possível, e abri minha carta outra vez no intuito de lê-la para ela; em seguida, fraquejando, dobrei-a de novo e recoloquei-a no bolso. "Ele é mesmo *mau*?"

As lágrimas permaneciam em seus olhos. "É isso que os cavalheiros dizem?"

"Eles não entram em detalhes. Dizem apenas que lamentam ser impossível ficar com ele. Isso só pode significar uma coisa." A sra. Grose me ouvia com uma emoção muda; abstinha-se de me perguntar que coisa seria essa; de modo que, depois de algum tempo, para exprimir meu pensamento com alguma coerência e tendo apenas a presença dela como ajuda, prossegui: "Que ele representa um perigo para os outros".

Ao ouvir isso, numa dessas reviravoltas rápidas das pessoas simples, ela de repente se inflamou. "O pequeno Miles! — *Ele*, um perigo?"

Havia ali uma tamanha irrupção de boa-fé que, embora eu ainda não tivesse visto o menino, meus próprios temores levaram-me a concluir que a ideia era absurda. Dei por mim, para ir mais longe que minha amiga, improvisando, sarcástica: "Para os pobres coleguinhas inocentes!".

"É horrível", exclamou a sra. Grose, "dizer uma crueldade dessas! Ora, ele mal completou dez anos de idade."

"Claro, claro; não dá para acreditar."

Ela ficou visivelmente agradecida por essa afirmação. "A senhora tem que ver o menino primeiro. Julgue *depois*!" Na mesma hora, cresceu minha impaciência por vê-lo; tinha início ali uma curiosidade que, no decorrer das horas que se seguiram, haveria de aprofundar-se quase a ponto de se tornar dolorosa. A sra. Grose tinha consciência, percebi, do efeito que produzira em mim, e passou a reforçá-lo. "Imagine se dissessem isso da mocinha. Benza-a Deus", acrescentou logo em seguida — "olhe só para ela!"

Virei-me e vi que Flora, a qual dez minutos antes eu instalara na sala de estudos com uma folha de papel em branco, um lápis e uma série de modelos de "O" bem redondinhos, agora apresentava-se a nós na porta aberta. Manifestava, lá à sua maneira tenra, um extraordinário desapego pelas obrigações desagradáveis, mas olhava para mim com uma ênfase infantil tão intensa que parecia transformá-lo em mero resultado do afeto que ela desenvolvera pela minha pessoa, o qual a obrigara a ir atrás de mim. Mais não foi preciso para que eu sentisse em cheio a força da comparação feita pela sra. Grose, e assim, tomando nos braços minha pupila, cobria-a de beijos em que havia um soluço de expiação.

Não obstante, no decorrer do dia, fiquei à procura de uma oportunidade adicional de aproximar-me de minha colega, especialmente porque, ao cair da tarde, comecei a imaginar que ela estava me evitando. Alcancei-a, lembro-me, na escada; descemos juntas e depois detive-a, segurando-a pelo braço. "Pelo que entendi, hoje ao meio-dia a senhora deixou claro que nunca o viu fazer nada de mau."

Ela jogou a cabeça para trás; a essa altura, já havia

claramente, e de modo muito franco, adotado uma atitude. "Ah, se eu nunca o vi...? Não, eu não diria *isso*!"

Senti-me abalada outra vez. "Então a senhora já o viu..."

"Já, sim, senhora, graças a Deus!"

Refleti, e aceitei. "A senhora quer dizer que um menino que nunca faz nada..."

"Não é o *meu* tipo de menino!"

Apertei-a com mais força. "A senhora gosta de meninos que têm coragem de fazer travessuras?" Então, acompanhando sua resposta: "Eu também!", exclamei com gosto. "Mas não a ponto de contaminar..."

"Contaminar?" A palavra difícil a confundiu.

Expliquei-a. "Corromper."

Ela fitou-me, assimilando o significado; porém o efeito que este provocou nela foi um riso estranho. "A senhora teme ser corrompida por ele?" Fez a pergunta com um toque tão fino de humor ousado que, com um riso, sem dúvida um tanto parvo, para não lhe ficar atrás, por ora cedi à apreensão do ridículo da coisa.

Mas no dia seguinte, aproximando-se a hora da chegada, ataquei por um outro ângulo. "Quem era a pessoa que estava aqui antes?"

"A última governanta? Ela também era moça e bonita — quase tão moça e quase tão bonita quanto a senhora."

"Ah, então espero que a mocidade e a beleza dela a tenham ajudado!", lembro-me de ter exclamado. "Pelo visto, ele gosta de mulheres jovens e bonitas!"

"Ah, ele *gostava*, sim", concordou a sra. Grose: "ele era assim com todo mundo!" Tão logo falou, corrigiu-se. "Quer dizer, ele é mesmo assim — o patrão".

Aquilo me intrigou. "Mas a quem a senhora estava se referindo?"

Sua expressão era de perplexidade, porém ela corou. "Ora, a *ele*."

"Ao patrão?"

"E quem haveria de ser?"

Era tão óbvio que só poderia ser o patrão que no instante seguinte extinguiu-se a impressão de que ela sem querer dissera mais do que pretendera dizer; e assim limitei-me a perguntar o que eu queria saber. "E *ela*, viu alguma coisa no menino...?"

"Alguma coisa de errado? Ela nunca me disse, não."

Tive um escrúpulo, porém sobrepujei-o. "Ela era cuidadosa — exigente?"

A sra. Grose pareceu tentar ser conscienciosa. "Sobre algumas coisas — era, sim."

"Mas não a respeito de tudo?"

Ela refletiu mais uma vez. "Bem, ela não está mais aqui. Não quero ficar falando dela para a senhora."

"Entendo muito bem seus sentimentos", apressei-me a replicar; porém, após um instante, achei que não seria contraditório insistir: "Ela morreu aqui?".

"Não — ela foi embora."

Algo no laconismo da sra. Grose, não sei o quê, me pareceu ambíguo. "Foi embora para morrer?" A sra. Grose olhava direto para a janela, porém julguei que, hipoteticamente, eu tinha o direito de saber o que se esperava das jovens contratadas para trabalhar em Bly. "A senhora quer dizer que ela adoeceu e foi para casa?"

"Não adoeceu, ao menos que a gente visse, aqui. Ela foi embora, no final do ano, dizendo que ia para casa, tirar umas férias breves, e pelo tempo que já havia trabalhado certamente tinha esse direito. Naquela época havia uma moça — uma ama que acabou ficando aqui, e que era boazinha e inteligente; foi ela quem cuidou das crianças durante esse tempo. Mas a governanta nunca mais voltou, e justamente na época em que eu esperava que ela chegasse o patrão mandou dizer que ela tinha morrido."

Pensei um pouco. "Mas de quê?"

"Ele nunca me contou! Mas, por favor", disse a sra. Grose, "preciso ir trabalhar."

3

Ao me dar as costas desse modo, ela não estava, felizmente, apesar das minhas preocupações bem fundadas, afrontando-me de modo a impedir o crescimento de nossa estima recíproca. Tivemos outro encontro, depois que eu trouxe para casa o pequeno Miles, mais estreito ainda que os anteriores, por efeito da minha estupefação, minha emoção geral: pois já estava eu convicta de que era monstruoso ter sido punida uma criança como aquela que me fora revelada. Cheguei um pouco atrasada para receber o menino e senti, ao vê-lo melancólico à minha espera diante da porta da estalagem onde a diligência o deixara, que o via, naquele instante, por fora e por dentro, no imenso brilho de frescor, na mesma fragrância positiva de pureza em que, desde o primeiro momento, eu vira sua irmãzinha. Ele era de uma beleza incrível, e a sra. Grose bem o dissera: tudo que não fosse uma espécie de paixão enternecida por ele era eliminado ao se estar na presença dele. Se, naquele lugar e naquele instante, ele conquistou meu coração, foi por algo de divino que nunca encontrei em grau semelhante em qualquer outra criança — por seu ar inexprimível de não conhecer nada no mundo senão o amor. Teria sido impossível ter má reputação com uma tão grande doçura de inocência, e quando cheguei a Bly com ele meu único sentimento era de perplexidade — isto é, deixando-se de lado a indignação — causada pela carta horrenda que estava trancada em meu quarto, numa gaveta. Tão logo pude trocar algumas palavras com a sra. Grose em particular, declarei-lhe que aquilo era grotesco.

Ela entendeu-me de imediato. "A senhora se refere à acusação cruel...?"

"Ela não se sustenta por um segundo. Minha cara, *olhe* para ele!"

Ela sorriu de minha pretensão de ter descoberto o encanto do menino. "Eu lhe garanto, minha senhora, que não faço outra coisa! Então, o que a senhora vai dizer?"

"Em resposta à carta?" Eu já estava decidida. "Nada."

"E ao tio dele?"

Fui incisiva. "Nada."

"E ao menino?"

Fui maravilhosa. "Nada."

Ela enxugou a boca com o avental, num gesto largo. "Então estou a seu lado. Vamos até o fim."

"Vamos até o fim!", repeti, ardorosa, dando-lhe minha mão para fazer daquilo uma promessa.

Ela segurou-me por um momento, depois levantou o avental outra vez com a mão livre. "A senhora se incomoda se eu tomar a liberdade..."

"De me beijar? Não!" Tomei nos braços a boa criatura e, depois de nos abraçarmos como irmãs, senti-me ainda mais fortalecida e indignada.

Assim foi, ao menos por um tempo: um tempo tão intenso que, relembrando o que se passou, vem-me à mente toda a arte de que necessito agora para torná-lo um pouco nítido. O que me espanta, quando olho para trás, é a situação que aceitei. Eu me comprometera, com minha colega, a ir até o fim, e era como se estivesse sob o efeito de um encantamento, o qual me fazia crer que eu seria capaz de dar conta da extensão, das implicações distantes e difíceis de um tal empreendimento. Eu fora levada às alturas por uma grande onda de fascínio e piedade.

Parecia-me fácil, na minha ignorância, na minha confusão, e talvez na minha pretensão, lidar com um menino cujo processo de educação para enfrentar o mundo estava prestes a ter início. A essa altura, já não consigo sequer me lembrar da proposta que elaborei para o final de suas férias e a retomada de seus estudos. Que ele teria aulas comigo, naquele verão encantador, era o que todos nós aceitávamos na teoria; porém agora tenho a impressão de que, por semanas, a aluna fui mais eu. Aprendi algo — de início, certamente — que não fora um dos ensinamentos de minha vida pequena e sufocada; aprendi a me divertir, e até mesmo a divertir, e a não pensar no amanhã. Era a primeira vez, de certo modo, que eu conhecia espaço, ar, liberdade, toda a música do verão, todo o mistério da natureza. E havia também a consideração — e era doce a consideração. Ah, era uma armadilha — não proposital, porém profunda — para minha imaginação, para minha delicadeza, talvez para minha vaidade; para qualquer coisa que havia em mim de mais excitável. A melhor maneira de exprimir a coisa toda é dizer que baixei a guarda. Eles davam-me tão pouco trabalho — eram de uma doçura extraordinária. Eu costumava especular — mas mesmo isso fazia-o de modo vago, dissociado — sobre o modo como o futuro impiedoso (pois todos os futuros são impiedosos!) lidaria com eles, talvez machucando-os. Estavam na flor da saúde e da felicidade; no entanto, se estivesse eu encarregada de cuidar de pequenos nobres, príncipes de sangue, para quem tudo, a se dar da maneira correta, teria de ser cercado e protegido, a única forma que, na minha imaginação, os anos do porvir poderia assumir para eles seria uma extensão romântica, verdadeiramente régia, do jardim e do parque. É possível, naturalmente, acima de tudo, que o que de repente interrompeu essa situação empreste ao período precedente um encantamento de tranquilidade — aquele silêncio em que algo se agacha à espreita. A mudança foi, na verdade, como o bote de uma fera.

Nas primeiras semanas os dias eram longos; muitas vezes, os melhores deles me davam o que eu costumava chamar de minha hora, a hora em que, tendo meus pupilos tomado chá e se deitado, eu dispunha, antes de me recolher para a noite, de um pequeno intervalo a sós. Por mais que eu gostasse de meus companheiros, essa hora era a parte do dia que mais me agradava; principalmente quando, à medida que a luz se esvaecia — ou, melhor dizendo, que o dia se alongava e os últimos cantos dos pássaros soavam, num céu avermelhado, do alto das velhas árvores —, eu podia dar uma volta no terreno e desfrutar, quase com uma sensação de propriedade que me divertia e me lisonjeava, a beleza e dignidade do lugar. Era um prazer, nesses momentos, sentir-me tranquila e justificada; sem dúvida, talvez, refletir também que graças à minha discrição, meu sóbrio juízo e meu severo senso geral de decoro, eu estava dando prazer — se é que ele pensava nisso! — àquele a cuja pressão eu cedera. O que eu estava fazendo era o que ele enfaticamente esperava de mim e explicitamente me pedira, e o fato de que, no final das contas, eu me revelava capaz de fazê-lo me proporcionava uma alegria ainda maior do que a por mim antecipada. Em suma, eu me via, confesso, como uma jovem extraordinária, e confortava-me a confiança de que esse fato haveria de se manifestar de modo mais público. Pois bem, eu precisava mesmo ser extraordinária para enfrentar as coisas extraordinárias que em pouco tempo começaram a dar os primeiros sinais.

Tudo começou numa tarde, bem no meio da minha hora: as crianças estavam na cama e eu saíra para dar minha caminhada. Um dos pensamentos que, como não reluto nem um pouco em revelar agora, costumavam acompanhar-me nesses passeios era o de que seria tão encantador quanto uma história encantadora encontrar alguém de repente. Alguém apareceria na curva de uma alameda e pôr-se-ia diante de mim, sorriria e demonstraria sua aprovação. Não pedia eu mais do que isso — pedia apenas que esse alguém *soubesse*; e a única maneira de eu ter certeza de que ele sabia seria vê-lo, bem como a luz suave dessa consciência em seu belo rosto. Ele estava presente para mim com exatidão — refiro-me ao rosto — quando, na primeira dessas ocasiões, no final de um longo dia de junho, parei de súbito ao emergir de um dos arvoredos e surgiu diante de mim a casa. O que me fez deter-me no lugar — e com uma sensação de choque muito maior do que qualquer antevisão levara em conta — foi a consciência de que minha imaginação, de repente, se tornara realidade. Ele estava mesmo lá — porém numa posição elevada, além do gramado e no alto da torre à qual, naquela primeira manhã, a pequena Flora me levara. Essa torre fazia parte de um par — estruturas quadradas, incongruentes, providas de ameias —, sendo que as pessoas distinguiam uma da outra, por algum motivo, embora eu não visse muita diferença entre elas, como a nova e a velha. Ficavam de lados opostos da casa e eram provavelmente extravagâncias arquitetônicas, até certo ponto redimidas por não serem totalmente desconectadas e tampouco de uma altura pretensiosa demais, remontando, em sua antiguidade postiça, a um período de volta ao romantismo que já era ele próprio um passado respeitável. Eu admirava-as, nutria fantasias a seu respeito, pois todos nós as desfrutávamos até certo ponto, especialmente quando as divisávamos no lusco-fusco, com o que havia de grandioso naquelas ameias de verdade; porém não era naquela altitude que a figura por mim invocada tantas vezes parecia estar em seu lugar mais apropriado.

Ele produziu em mim, esse vulto, na penumbra ainda clara, lembro-me, duas ondas distintas de emoção, as quais foram, bem separadas, o choque da primeira surpresa e o da segunda. A segunda surpresa foi a percepção violenta de que a primeira fora equivocada: o homem que me olhava nos olhos não era a pessoa que eu supusera, num momento de precipitação. Sofri então uma perplexidade de visão da qual, após tantos anos, não tenho como apresentar uma imagem viva. Um homem desconhecido num lugar solitário é um objeto que se permite que inspire medo a uma jovem criada em circunstâncias protegidas; e a figura diante de meus olhos era — como ficou claro após mais alguns segundos — tão diferente de qualquer outra pessoa por mim conhecida quanto o era da imagem que eu tinha em minha mente. Eu não a vira na Harley Street — eu não a vira em parte alguma. O lugar, ademais, do modo mais estranho que se pode imaginar, se transformara, num instante, e por efeito daquela aparição, em solidão. A mim, ao menos, dando aqui meu testemunho com uma deliberação com que jamais o fiz, todo o sentimento daquele instante retorna. Era como se, no instante em que eu assimilava — aquilo que assimilei —, todo o resto da cena fosse atingido pela morte. Volto a ouvir, enquanto escrevo, o silêncio intenso em que mergulharam os sons da tarde. As gralhas pararam de crocitar no céu dourado e a hora agradável perdeu, por um minuto, toda a sua voz. Mas não ocorreu outra mudança na natureza, a menos que fosse uma mudança o fato de eu estar enxergando com uma nitidez mais estranha. O dourado permanecia no céu, a limpidez no ar, e o homem que me olhava por detrás das ameias era tão nítido como um retrato numa moldura. Foi desse modo que pensei, com uma rapidez extraordinária, em cada pessoa que ele poderia ter sido e não era. Nós dois nos defrontávamos à distância por um tempo mais que suficiente para que eu me perguntasse de modo intenso quem ele era, então, e sentisse, como efeito de minha incapacidade de responder a essa pergunta, uma perplexidade que, nos instantes que se seguiram, tornou-se intensa.

A grande pergunta, ou uma delas, é, depois, eu sei, com relação a certos eventos, o tempo que eles duraram. Pois bem, essa minha questão, pense o que se pensar dela, durou o bastante para que eu evocasse uma dezena de possibilidades, nenhuma das quais tornava mais aceitável, até onde eu podia ver, o fato de haver na casa — e há quanto tempo, acima de tudo? — uma pessoa cuja existência eu desconhecia. Durou o bastante para que eu me indignasse um pouco ao me dar conta de que, dada minha posição naquela casa, nem tal desconhecimento nem tal existência eram admissíveis. Durou o bastante para que esse visitante, fosse o que fosse — e havia um toque de liberdade estranha, lembro-me, no sinal de familiaridade de estar ele sem chapéu —, parecesse olhar-me fixamente, de seu ponto de observação, com a mesma pergunta, o mesmo ar investigativo, na luz cada vez mais fraca, que sua própria presença provocava em mim. Estávamos distantes demais um do outro para nos falarmos, mas houve um momento em que, fosse a distância menor, algum desafio surgido entre nós, quebrando o silêncio, teria sido o resultado apropriado daquela contemplação direta e mútua. Ele estava numa das quinas, a mais distante da casa, bem empertigado, foi o que me pareceu, e com as mãos apoiadas no parapeito. Assim eu o via, tal como vejo as letras que traço neste papel; e então, exatamente, após um minuto, como se para enriquecer o espetáculo, com movimentos lentos ele mudou de lugar — passou, com o olhar fixo em mim o tempo todo, para o canto oposto da plataforma. Sim, eu sentia com nitidez que durante esse deslocamento ele não tirava os olhos de mim, e vejo neste exato momento sua mão, enquanto ele andava, passar de uma das ameias para a próxima. Ele se deteve na outra quina, porém por menos tempo, e mesmo no instante em que se virava continuava a me encarar fixamente. Virou-se, e não vi mais nada.

4

Não que, nessa ocasião, eu não esperasse por mais, pois estava tão profundamente intrigada quanto abalada. Haveria um "segredo" em Bly — um mistério de Udolpho* ou um parente louco, inominável, mantido num confinamento insuspeito? Não sei dizer por quanto tempo revirei tais pensamentos, nem por quanto tempo, numa confusão de curiosidade e temor, permaneci no local onde ocorrera o confronto; só lembro que, quando voltei a entrar em casa, a escuridão já era completa. A agitação, nesse ínterim, certamente me detivera e impelira, pois devo ter caminhado, dando voltas em torno do lugar, uns cinco quilômetros; mais tarde, porém, eu seria avassalada em grau tão maior que essa simples aurora de apreensão foi um tremor relativamente humano. A parte mais singular da coisa — singular tal como fora o restante — foi aquela de que, no vestíbulo, me dei conta quando cruzei com a sra. Grose. Essa imagem me vem na sequência geral — a impressão, tal como a recebi ao retornar, do espaço amplo, branco, revestido de madeira, bem iluminado por lampiões e com seus retratos e seu tapete vermelho, e da expressão boa e espan-

---

* Referência a *The mysteries of Udolpho* [Os mistérios de Udolpho], romance de terror de Ann Radcliffe (1764-1823) que desencadeou a onda dos "romances góticos" na Inglaterra. (N.T.)

tada de minha amiga, a qual de imediato me revelou ter dado por minha falta. Ocorreu-me de modo direto, ao encontrá-la, com sua cordialidade simples, o alívio da ansiedade ao me ver, que ela nada, em absoluto, sabia que tivesse qualquer relação com o incidente que eu estava prestes a lhe relatar. Eu não esperava que seu rosto tranquilo tivesse o efeito de me conter, e de algum modo pude avaliar a importância do que vira ao me dar conta de que relutava em tocar no assunto. Quase nada em toda essa história me parece tão estranho quanto este fato, de que o verdadeiro começo de meu medo se deu, por assim dizer, com o movimento instintivo de poupar minha colega. Assim, de imediato, naquele vestíbulo agradável, e com o olhar da sra. Grose fixo em mim, eu, por um motivo que, naquele momento, não me teria sido possível exprimir em palavras, tomei uma decisão interior — ofereci um vago pretexto por ter demorado para entrar e, mencionando a beleza da noite e do orvalho pesado, e meus pés molhados, recolhi-me o mais depressa possível a meu quarto.

Ali, a coisa era bem diversa; ali, por muitos dos dias que se seguiram, a coisa era bem estranha. Havia horas, de um dia a outro — ou, ao menos, momentos, roubados até mesmo a obrigações inequívocas —, em que eu era levada a me fechar no quarto para pensar. Por ora, era menos por estar mais nervosa do que suportava estar do que por sentir um medo extraordinário de assim ficar; pois a verdade que agora me via obrigada a revolver era, simples e claramente, o fato de não me ser possível chegar a um esclarecimento sobre aquele visitante com quem eu tivera um encontro tão inexplicável e no entanto, ao que me parecia, tão íntimo. Não demorei para perceber que eu poderia sondar, sem recorrer a interrogatórios e sem comentários perturbadores, qualquer complicação doméstica. O choque por mim sofrido deve ter aguçado todos os meus sentidos; senti-me certa, ao final de três dias e como resultado de mera atenção redobrada, que eu não fora alvo de nenhuma trama perpetrada pelos criados nem de nenhuma "peça". Fosse o que fosse o fato de que eu tivera conhecimento, nada se sabia sobre ele a meu redor. Havia uma única inferência racional a ser tirada: alguém assumira uma liberdade um tanto grosseira. Era essa constatação que eu repetia a mim mesma, vez após vez em que mergulhava em meu quarto e trancava a porta. Nós todos, coletivamente, tínhamos sido vítimas de uma intrusão; algum viajante inescrupuloso, curioso a respeito de casas velhas, intrometera-se sem ser visto, apreciara a paisagem do melhor ponto de observação e depois se fora de modo tão sub-reptício quanto antes. Se me encarara com tamanha desfaçatez, isso era apenas mais um aspecto de sua impudência. O lado bom da coisa, no final das contas, era que certamente não voltaríamos a vê-lo.

Isso não era tão bom, reconheço, que não me levasse a pensar que se, essencialmente, nada mais tinha muita importância, era apenas por ser meu trabalho encantador. Meu trabalho encantador não era outra coisa senão minha vida com Miles e Flora, e nada me fazia gostar tanto dele quanto a sensação de poder mergulhar nele quando estivesse atormentada. O encanto de meus pequenos pupilos era uma alegria constante, que me levava a me admirar repetidamente de meus temores originais, o aborrecimento que chegara a sentir pela provável mesmice prosaica de meu trabalho. Não haveria mesmice prosaica, ao que parecia, tampouco uma rotina demorada; assim, como poderia não ser encantador um trabalho que se apresentava sob a forma de uma beleza cotidiana? Tudo se resumia ao romantismo do quarto das crianças e à poesia da sala de estudos. Não quero dizer com isso, é claro, que só estudássemos ficção e versos; quero dizer que não tenho outra maneira de exprimir a espécie de interesse que meus companheirinhos me inspiravam. Não há como descrevê-lo senão dizendo que, em vez de acostumar-me com eles — e isto é maravilhoso para uma governanta: apelo ao testemunho de minhas irmãs de ofício! —, eu fazia novas descobertas constantemente. Havia uma direção, sem dúvida, na qual essas descobertas não avançavam: uma profunda obscuridade continuava a cobrir a região do comportamento do menino no colégio. Foram-me dadas de saída, já observei, as condições para enfrentar esse mistério sem dor. Talvez até fosse mais próximo da verdade dizer que — sem uma palavra — ele próprio o havia esclarecido. Ele reduzira toda a acusação ao absurdo. Minha conclusão florescia no rubor róseo e concreto de sua inocência: ele era apenas bom e belo demais para o mundinho horrendo e sujo da escola, e pagara um preço por isso. Refleti veemente que a consciência de tais diferenças, de tais superioridades de qualidade, sempre, da parte da maioria — a qual podia incluir até mesmo diretores estúpidos e sórdidos —, infalivelmente acaba resvalando em vingança.

As duas crianças tinham uma delicadeza (era o único defeito delas, e nunca fez de Miles um inepto) que as conservava — como exprimi-lo? — quase impessoais e, sem dúvida, de todo incastigáveis. Eram como os querubins da piada, que não tinham — moralmente, bem entendido — onde levar palmadas! Lembro-me de ter com Miles, em particular, a impressão de que, por assim dizer, ele não tinha história. De uma criança pequena espera-se uma história curta, mas havia naquele menininho lindo algo de extraordinariamente sensível, e no entanto de extraordinariamente alegre, que, mais do que em qualquer outra criatura de sua idade que eu já tenha conhecido, me dava a sensação de que ele começava do início a cada dia. Ele jamais, por um segundo que fosse, sofrera. Tomei esse fato como uma refutação direta da hipótese de que ele fora de fato castigado. Se tivesse agido mal, teria sido punido, e eu teria percebido a reação

— teria observado a marca. Não encontrei absolutamente nada, e por conseguinte ele era um anjo. Nunca falava sobre a escola, nunca mencionava um colega ou um professor; e eu, de minha parte, estava demasiadamente enojada para que lhes fizesse qualquer alusão. Sem dúvida, eu estava enfeitiçada, e o mais maravilhoso era que, mesmo então, sabia muito bem que estava. Porém entreguei-me ao feitiço; era um antídoto contra qualquer dor, e eu tinha mais de uma dor. Nessa época, estava recebendo cartas perturbadoras de minha casa, onde as coisas não iam bem. Mas, com as minhas crianças, que coisas do mundo tinham importância? Era essa a pergunta que eu me fazia em meus recolhimentos fragmentários. Estava deslumbrada com a beleza delas.

Houve um domingo — para prosseguir — em que choveu com tamanha força e por tantas horas que não seria possível ir à igreja; assim, ao cair da tarde, combinei com a sra. Grose que, se o tempo melhorasse, iríamos juntas ao culto vespertino. A chuva felizmente parou, e preparei-me para nossa caminhada, a qual, atravessando o parque e tomando a estrada boa da aldeia, levaria por volta de vinte minutos. Ao descer a escada para me encontrar com minha colega no vestíbulo, lembrei-me de um par de luvas que necessitara de três pontos de alinhavo e os recebera — com uma publicidade talvez nada edificante — enquanto eu acompanhava as crianças na hora do chá, servido aos domingos, por exceção, naquele frio e limpo templo de mogno e latão que era a sala de jantar da "gente grande". As luvas haviam ficado lá, e voltei para pegá-las. O dia estava bem cinzento, mas a luz da tarde ainda resistia, e ela me permitiu, ao cruzar a soleira, que não apenas reconhecesse, numa cadeira junto à ampla janela, então fechada, os artigos que eu queria, mas também percebesse a presença de uma pessoa do lado de fora da janela, olhando diretamente para dentro. Bastara dar um passo para dentro da sala;

minha visão foi instantânea; estava tudo lá. A pessoa que olhava diretamente para dentro de casa era a mesma que já me havia aparecido. Voltava a aparecer não direi com maior nitidez, o que teria sido impossível, mas com uma proximidade que representava um avanço no nosso relacionamento e que me fez, ao defrontar-me com ele, prender a respiração e gelar. Ele era o mesmo — era o mesmo, e visto, dessa vez, como não o fora antes, da cintura para cima, pois que a janela, embora a sala de jantar fosse no rés do chão, não descia até o terraço onde ele estava. Seu rosto estava próximo do vidro, e no entanto o efeito dessa visão melhor foi, coisa estranha, o de demonstrar o quanto fora intensa a visão anterior. Ele permaneceu por apenas alguns segundos — o bastante para me convencer de que ele também me via e me reconhecia; mas era como se eu estivesse a olhá-lo há anos e o conhecesse desde sempre. Alguma coisa, porém, aconteceu desta vez que não ocorrera antes; seu olhar fixo em meu rosto, atravessando a vidraça e a sala, era tão profundo e duro quanto da vez anterior, porém desprendeu-se de mim por um momento, durante o qual pude continuar a observá-lo e vê-lo fixar-se sucessivamente em outras coisas. Naquele instante me veio o choque adicional da certeza de que não fora por mim que ele viera. Ele viera por outra pessoa.

O lampejo dessa percepção — pois era a percepção de um fato em meio ao temor — produziu em mim um efeito extraordinário, desencadeando, naquele exato momento, uma súbita vibração de dever e coragem. Digo coragem porque eu estava, fora de qualquer dúvida, já inteiramente comprometida. Saí mais que depressa da sala, fui até a porta da casa, em um instante cheguei à alameda e, passando pelo terraço o mais depressa de que eu era capaz, virei a esquina e tive uma visão desimpedida de todo o lugar. Mas nada havia para se ver agora — meu visitante desaparecera. Parei, quase caí, de puro alívio; porém corri os olhos por toda a cena — dei-lhe tempo para reaparecer. Digo que lhe dei tempo, mas quanto tempo se passou? Não sei hoje avaliar a duração desses episódios. Essa espécie de capacidade de mensuração deve me ter faltado: eles não podem ter durado tanto quanto me deram a impressão de durar. O terraço, todo o terreno, o gramado e o jardim mais adiante, o trecho do parque que eu podia ver, estavam vazios, um vazio imenso. Havia arbustos e árvores grandes, mas lembro-me da certeza que senti então de que ele não estava escondido atrás de nada. Ele ou estava lá ou não estava: não estava se eu não o via. Apreendi esse fato; então, movida por um instinto, em vez de voltar pelo caminho que havia tomado, fui até a janela. De algum modo confuso sentia que deveria me colocar no lugar onde ele estivera. Foi o que fiz; aproximei o rosto da vidraça e olhei, tal como ele olhara, para dentro da sala. Como se, nesse momento, para me mostrar exatamente até onde ele havia enxergado, a sra. Grose, tal como eu fizera com ele instantes antes, entrou, vindo do vestíbulo. Desse modo, apresentou-se a mim a imagem completa de uma repetição do ocorrido. Ela viu-me tal como eu vira o visitante; parou de repente tal como eu fizera; dei-lhe um pouco do susto que eu havia levado. Ficou branca, e isso me levou a perguntar a mim mesma se também eu empalidecera tanto. Olhou-me fixamente, em suma, e recuou tal como *eu* recuara, e compreendi que ela havia saído, vindo em minha direção, e que logo eu haveria de encontrar-me com ela. Permaneci onde estava, e enquanto esperava pensava em mais de uma coisa diferente. Porém só vou mencionar uma delas. Eu não entendia por que *ela* se assustara tanto.

5

Ah, isso ela me explicou assim que, contornando a quina da casa, voltou a me aparecer. "Mas que cargas-d'água está havendo...?" Estava agora vermelha e ofegante.
 Permaneci calada até ela ficar bem próxima de mim. "Comigo?" Devo ter assumido uma expressão maravilhosa. "Estou estranha?"
 "Está branca como uma folha de papel. Uma cara terrível."
 Pus-me a pensar; quanto ao que acontecera, eu podia, sem nenhum escrúpulo, enfrentar qualquer inocência. Minha necessidade de respeitar a da sra. Grose caiu, sem fazer ruído, de meus ombros, e se hesitei por um instante não foi por conta do que não revelei. Estendi-lhe a mão e ela aceitou-a; apertei-a com força por alguns instantes, gostando de senti-la perto de mim. Dava-me certo apoio o arquejo tímido de sua surpresa. "A senhora veio me chamar para ir à igreja, é claro, mas não posso ir."
 "Aconteceu alguma coisa?"
 "Aconteceu. A senhora precisa ficar sabendo agora. Eu estava muito estranha?"
 "Olhando por essa janela? Assustadora!"
 "Pois bem", disse eu, "levei um susto." Os olhos da sra. Grose exprimiam com clareza que *ela* não queria levar um susto, mas que conhecia muito bem seu lugar

e estava pronta para compartilhar comigo qualquer inconveniência. Ah, estava perfeitamente acertado que ela *devia* compartilhá-la! "O que a senhora acabou de ver da sala do jantar um minuto atrás foi efeito disso. O que *eu* vi — imediatamente antes — foi muito pior."

Ela apertou minha mão. "O que foi?"

"Um homem extraordinário. Olhando para dentro de casa."

"Que homem extraordinário?"

"Não faço a menor ideia."

A sra. Grose olhou a nossa volta em vão. "Então para onde ele foi?"

"Sei menos ainda."

"A senhora já o tinha visto antes?"

"Sim — uma vez. Na torre velha."

Sua única reação foi fixar em mim um olhar ainda mais penetrante. "A senhora quer dizer que é um desconhecido?"

"Completamente desconhecido, sem dúvida!"

"E assim mesmo a senhora não me disse nada?"

"Não — eu tinha minhas razões. Mas agora que a senhora adivinhou..."

Os olhos redondos da sra. Grose enfrentaram essa acusação. "Mas eu não adivinhei nada!", exclamou com toda a simplicidade. "Como posso adivinhar se nem *a senhora* faz ideia?"

"Nem a mais mínima ideia."

"A senhora o viu na torre, e só lá?"

"E aqui neste lugar, agora mesmo."

A sra. Grose olhou a sua volta outra vez. "O que ele estava fazendo na torre?"

"Nada, só olhando para mim lá de cima."

Ela pensou por um minuto. "Era um cavalheiro?"

Constatei que era necessário pensar. "Não." O olhar dela ficou ainda mais perplexo. "Não."

"Então não é ninguém daqui? Ninguém da aldeia?"

"Ninguém — ninguém. Eu não disse nada à senhora, mas me certifiquei."

Ela soltou um vago suspiro de alívio: esse fato, estranhamente, era bom. Na verdade, só o era até certo ponto. "Mas se não é um cavalheiro..."

"Então o que ele é? É um horror."

"Um horror?"

"Ele é... Deus me livre de saber *o que* ele é!"

A sra. Grose olhou em volta mais uma vez; fixou a vista na distância obscura, e então, reunindo suas forças, virou-se para mim com uma incoerência abrupta. "É hora de irmos para a igreja."

"Ah, não estou em condições de ir à igreja!"

"Não vai ser bom para a senhora?"

"Não vai ser bom para *elas*...!" Indiquei a casa.

"As crianças?"

"Não posso deixá-las agora."

"Está com medo...?"

Fui corajosa. "Estou com medo *dele*."

O rosto largo da sra. Grose, ao ouvir isso, demonstrou para mim, pela primeira vez, o lampejo fraco e distante de uma consciência mais penetrante: de algum modo, percebi ali o despertar atrasado de uma ideia que não fora eu quem lhe sugerira e que por ora permanecia de todo obscura para mim. Ocorre-me agora que no mesmo instante pareceu-me ser algo que eu poderia extrair dela; e julguei que estivesse ligado ao desejo de saber mais que ela em seguida demonstrou. "Quando foi que aconteceu... na torre?"

"Mais ou menos no meio do mês. Nesta mesma hora."

"Quando já estava quase escuro", disse a sra. Grose.

"Ah, não, longe disso. Eu o vi tal como vejo a senhora."

"Então como foi que ele entrou?"

"E como foi que ele saiu?" Eu ri. "Não tive oportunidade de lhe perguntar! Hoje, é claro", prosseguiu, "ele não conseguiu entrar."

"Ele fica só olhando?"

"Espero que não passe disso!" A sra. Grose já havia soltado minha mão; ela virou-se para o lado um pouco. Aguardei um momento; por fim disse: "Vá à igreja. Eu preciso ficar de vigia".

Lentamente ela voltou a virar-se para mim. "A senhora está preocupada com eles?"

Trocamos mais um olhar prolongado. "A senhora não está?" Em vez de responder, ela aproximou-se da janela e, por um minuto, encostou o rosto na vidraça. "Como a senhora vê, ele podia ver", prossegui enquanto isso.

Ela não se mexeu. "Quanto tempo ele ficou aqui?"

"Até eu sair. Eu saí para enfrentá-lo."

A sra. Grose por fim virou-se, e havia ainda mais em seu rosto. "*Eu* não teria coragem de sair."

"Nem eu!" Ri outra vez. "Mas saí. Tenho minhas obrigações."

"E eu as minhas", ela respondeu; em seguida, perguntou: "Como é esse homem?".

"Eu queria muito lhe dizer. Mas ele não se parece com ninguém."

"Com ninguém?", ela repetiu.

"Não usa chapéu." Então, vendo em seu rosto que ela, ao ouvir isso, com desânimo crescente, começava a formar uma imagem, rapidamente fui acrescentando alguns traços. "O cabelo é ruivo, bem ruivo, com cachos pequenos, e o rosto é pálido, alongado, com feições regulares, atraentes, e umas suíças pequenas, um tanto estranhas, tão ruivas quanto o cabelo. As sobrancelhas são, de algum modo, mais escuras; são bem arqueadas e parecem capazes de se mexer bastante. Os olhos são penetrantes, estranhos — terríveis; mas só sei dizer que são um tanto pequenos e muito fixos. A boca é larga, os lábios são finos e tirando as suíças pequenas o rosto é bem escanhoado. De certo modo, ele me dá a impressão de ser um ator."

"Um ator!" Era impossível parecer menos uma atriz, para dizer o mínimo, do que a sra. Grose naquele instante.

"Nunca vi um ator, e no entanto é assim que os imagino. É alto, vigoroso, de porte ereto", prossegui, "mas não — de modo algum! — um cavalheiro."

O rosto de minha colega empalidecera enquanto eu falava; os olhos redondos se arregalaram e a boca suave escancarou-se. "Um cavalheiro?", exclamou, confusa, estupefata: "Um cavalheiro, *ele*?".

"Então a senhora o conhece?"

Ela visivelmente tentou conter-se. "Mas ele é *bonito*?"

Percebi como poderia ajudá-la. "E muito!"

"E se veste...?"

"Com roupas de outra pessoa. São elegantes, mas não são dele."

Ela emitiu um gemido arfante de afirmação. "São as roupas do patrão!"

Apeguei-me à deixa. "Então a senhora o conhece mesmo?"

Ela hesitou por um segundo apenas. "Quint!", exclamou.

"Quint?"

"Peter Quint — o criado dele quando ele estava aqui!"

"Quando o patrão estava aqui?"

Ainda boquiaberta, porém me respondendo, foi juntando os pedaços. "Ele nunca usava chapéu, mas usava — bem, dávamos pela falta dos coletes! Eles dois estavam aqui... no ano passado. Então o patrão foi embora e Quint ficou sozinho."

Insisti, mas hesitando um pouco. "Sozinho?"

"Sozinho *conosco*." Então, como se arrancando as palavras de uma profundidade maior: "Mandando em todo mundo", acrescentou.

"E que fim ele levou?"

Ela demorou-se tanto que fiquei ainda mais desconcertada. "Ele também se foi", por fim respondeu.

"Foi para onde?"

Ao ouvir a pergunta, assumiu uma expressão extraordinária. "Só Deus sabe! Ele morreu."

"Morreu?", quase gritei.

Ela pareceu ajeitar o corpo, assentar-se com mais firmeza sobre o chão para exprimir o fato espantoso. "Isso mesmo. O senhor Quint morreu."

6

Foi necessário, é claro, mais do que aquele episódio específico para nos colocar juntas na presença daquilo com que agora seríamos obrigadas a conviver de algum modo — minha terrível suscetibilidade a impressões do tipo que fora exemplificado de forma tão vívida e a consciência de minha colega, doravante — uma consciência que era metade consternação e metade compaixão —, dessa suscetibilidade. Não houve para nós, naquela tarde, após a revelação que me deixou, por uma hora, de todo prostrada — não houve, nem para mim nem para ela, outro culto que não um pequeno ritual de lágrimas e juras, de preces e promessas, um clímax para a série de desafios e compromissos mútuos que resultou prontamente de nos recolhermos juntas à sala de estudos e lá nos fecharmos para pôr a questão em pratos limpos. O resultado de pormos a questão em pratos limpos foi simplesmente a redução de nossa situação ao rigor último de seus elementos. Ela própria nada vira, nem mesmo a sombra de uma sombra, e ninguém na casa senão a governanta estava vivendo o dilema da governanta; no entanto ela aceitou, sem impugnar de modo direto minha sanidade, a verdade tal como a apresentei a ela, e terminou por manifestar-me, quanto a isso, uma ternura cheia de um temor reverente, a expressão da consciência de meu privilégio muitíssimo duvidoso, cujo eco permanece comigo como penhor da mais doce das caridades humanas.

O que ficou combinado entre nós, portanto, naquela noite, foi que nos julgávamos capazes de suportar tudo juntas; mesmo sem eu ter certeza de que, apesar de sua isenção, era ela quem estava em melhor situação. Já me parecia claro naquele momento, creio, tanto quanto me pareceu mais tarde, o que eu podia enfrentar para proteger meus pupilos; mas levei algum tempo para me certificar acima de qualquer dúvida do que minha honesta aliada estava preparada para enfrentar nos termos de um contrato tão comprometedor. Eu era uma companheira estranha — tão estranha quanto as visitas que recebia; mas ao rever tudo por que passamos, constato o quanto nos deve ter parecido um ponto pacífico a única ideia que, felizmente, podia nos tranquilizar deveras. Foi essa ideia, o segundo movimento, que me permitiu sair, por assim dizer, da câmara interior de meu pavor. Eu podia respirar ar fresco no pátio, ao menos, e ali a sra. Grose podia encontrar-se comigo. Relembro agora com perfeição a maneira exata como me veio a força que senti antes de nos separarmos naquela noite. Tínhamos repisado repetidamente cada detalhe do que eu vira.

"Ele estava procurando outra pessoa, a senhora disse — alguém que não a senhora?"

"Ele estava procurando o pequeno Miles." Uma clareza extraordinária se apossou de mim naquele instante. "Era *isso* que ele estava procurando."

"Mas como a senhora sabe?"

"Eu sei, eu sei, eu sei!" Minha exaltação crescia. "E *a senhora* sabe também, minha cara!"

Ela não negou, mas eu não exigia, foi o que senti na hora, nem mesmo tal confirmação. Ela voltou a falar depois de um momento: "E se *ele* o visse?".

"O pequeno Miles? É o que ele quer!"

Ela voltou a parecer terrivelmente assustada. "O menino?"

"Deus nos livre! O homem. Ele quer aparecer para *elas*." Que ele fosse capaz de tal coisa era uma ideia medonha, e no entanto, de algum modo, eu conseguia reprimi-la: ademais, no decorrer de nossa conversa, praticamente provei que era isso mesmo. Eu tinha uma certeza absoluta de que voltaria a ver o que já havia visto, mas algo dentro de mim me dizia que ao me oferecer corajosamente como o único objeto de tal experiência, ao aceitar, convidar, sobrepujar toda a situação, eu serviria de vítima expiatória e garantiria a tranquilidade do resto da casa. As crianças, em particular, desse modo seriam protegidas e salvas por mim, com certeza. Lembro-me de um dos últimos comentários que fiz naquela noite à sra. Grose.

"É curioso meus pupilos não terem jamais mencionado..."

Ela me dirigiu um olhar duro enquanto eu, absorta, deixei a frase incompleta. "Que ele esteve aqui e o tempo que passaram com ele?"

"O tempo que passaram com ele, e o nome, a presença, a história dele, de alguma maneira."

"Ah, a mocinha não lembra. Ela nunca ouviu nem soube."

"As circunstâncias da morte dele?" Pensei com alguma intensidade. "Talvez não. Mas o Miles deve lembrar — o Miles deve saber."

"Ah, não o ponha à prova!", exclamou a sra. Grose.

Devolvi-lhe o olhar que ela me dirigira. "Não tenha medo." Continuei a pensar. "Mas é mesmo um tanto estranho."

"Ele nunca ter falado nele?"

"Nunca, nem a menor alusão. E a senhora me diz que eles eram 'amicíssimos'?"

"Ah, não era *ele*!", declarou a sra. Grose, enfática. "Isso era da cabeça do Quint. Brincar com ele, quer dizer — estragar o menino." Fez uma pausa breve; depois acrescentou: "O Quint era muito confiado".

Esse comentário causou em mim, tendo ainda há pouco visto o rosto dele — e *que* rosto! — uma súbita pontada de repulsa. "Muito confiado com o *meu* menino?"

"Muito confiado com todo mundo!"

Evitei, por ora, levar a análise dessa caracterização para além da reflexão de que em parte ela se aplicava a vários membros da criadagem, à meia dúzia de empregados de ambos os sexos que ainda faziam parte de nossa pequena colônia. Mas pesava muito, na nossa avaliação, o fato positivo de que não havia nenhuma lenda incômoda, nenhuma perturbação entre os lavadores de pratos, associada, até onde ia a memória de todos, àquela casa velha e agradável. Não tinha ela o nome conspurcado nem má fama, e a sra. Grose, disso não havia dúvida, não desejava outra coisa que não apegar-se a mim e estremecer em silêncio. Cheguei mesmo, no último instante, a testá-la. Foi quando, à meia-noite, ela já pousara a mão na porta da sala de estudos para sair. "Então a senhora me garante — pois isto é da maior importância — que ele era definitiva e assumidamente mau?"

"Ah, assumidamente, não. *Eu* sabia, mas o patrão não."

"E a senhora nunca lhe disse nada?"

"Bom, ele não gostava de mexericos — odiava reclamações. Não tinha a menor paciência com esse tipo de coisa, e se a pessoa era boa com *ele*..."

"Ele não se importava com mais nada?" Isso estava em conformidade com a impressão que eu formara dele: um cavalheiro que não gostava de confusões e que talvez não fosse muito exigente com suas companhias. Assim mesmo, pressionei minha interlocutora. "Juro que *eu* contaria!"

Ela percebeu minha discriminação. "Acho que errei, sim. Mas é que, na verdade, eu estava com medo."

"Medo de quê?"

"Das coisas de que aquele homem era capaz de fazer. O Quint era muito esperto — era muito manhoso."

Absorvi essas observações mais ainda, provavelmente, do que o demonstrei. "A senhora não tinha medo de mais nada? Da influência dele...?"

"Influência?", ela repetiu, com um rosto angustiado, esperando, enquanto eu hesitava.

"Sobre as nossas preciosas e inocentes crianças. Elas estavam sob a guarda da senhora."

"Não estavam, não!", ela retrucou, categórica e ansiosa. "O patrão confiava nele e o trouxe para cá porque dizia que ele não estava bem e que o ar do campo seria bom para ele. Por isso ele é que mandava em tudo. Sim" — ela abriu-se por completo — "até mesmo *nelas*."

"Nelas... aquela criatura?" Tive que conter uma espécie de uivo. "E a senhora suportava uma coisa dessas?"

"Não. Eu não conseguia — e ainda agora não consigo!" E a pobre mulher debulhou-se em lágrimas.

Um controle rígido, a partir do dia seguinte, deveria, como já observei, ser feito; no entanto, quantas vezes, e com que fervor, por uma semana, retomamos o assunto! Por mais que já o tivéssemos discutido naquela noite de domingo, eu continuava, especialmente nas horas subsequentes — pois pode-se imaginar se cheguei a dormir —, ainda perturbada pela sombra de algo que ela não me dissera. Quanto a mim, eu não ocultara nada, mas havia uma palavra que a sra. Grose não revelara. Eu estava certa, ademais, na manhã seguinte, de que não se tratava de falta de franqueza, e sim da existência de temores de todos os lados. De fato, parece-me, ao olhar para trás agora, que quando o sol subiu no céu no dia seguinte eu já deduzira, inquieta, com base nos fatos que havia diante de nós, quase todos os significados que eles viriam a adquirir a partir das ocorrências subsequentes, mais cruéis ainda. O que eles me proporcionavam acima de tudo era apenas a figura sinistra do homem vivo — o morto haveria de esperar um pouco! — e dos meses que ele havia passado, de modo contínuo, em Bly, os quais, analisados conjuntamente, formavam um período considerável. O limite desse tempo mau só chegara quando, no amanhecer de um dia de inverno, Peter Quint foi encontrado, por um trabalhador que saíra cedo de casa, morto, na estrada da aldeia: uma catástrofe explicada — superficialmente, ao menos — por uma ferida visível em sua cabeça; ferida essa que poderia ter sido causada — e, conforme ficou determinado, foi de fato causada — por um escorregão fatal, no escuro, ao sair da taberna, numa ladeira íngreme coberta de gelo, o caminho errado sob todos os aspectos, ao pé da qual foi encontrado. A ladeira gelada, o desvio na escuridão e o efeito do álcool explicavam muita coisa — explicavam, na prática, no final das contas, após o inquérito e infinitos mexericos, tudo; porém havia aspectos da vida dele — episódios e perigos estranhos, distúrbios secretos, vícios mais do que suspeitados — que teriam explicado muito mais.

Não sei bem como contar minha história com palavras que apresentem um quadro verossímil de meu estado mental; mas naqueles dias sentia-me literalmente capaz de encontrar alegria no extraordinário rasgo de heroísmo que a ocasião exigia de mim. Eu percebia agora que me fora proposto um serviço admirável e difícil; e haveria grandeza em demonstrar — ah, a quem de direito — que eu conseguia ter sucesso lá onde muitas outras jovens talvez fracassassem. Ajudava-me muitíssimo — confesso que chego a congratular-me quando olho para trás! — ver meu trabalho com tanta força e tanta simplicidade. Eu estava lá para proteger e defender as criaturinhas mais carentes e mais adoráveis do mundo, cuja condição de desamparadas continha um apelo que de súbito se tornara de todo explícito, uma dor profunda e constante no coração comprometido. Estávamos isoladas, na verdade, juntas; estávamos unidas em nosso perigo. Elas não tinham senão a mim, e eu — bem, eu tinha a *elas*. Era, em suma, uma oportunidade magnífica. Essa oportunidade apresentava-se a mim numa imagem ricamente material. Eu era um anteparo — eu me colocaria à frente delas. Quanto mais eu visse, menos elas veriam. Passei a vigiá-las num suspense sufocado, numa sofreguidão disfarçada que poderia muito bem, se tivesse se estendido por um tempo excessivo, ser transformada em algo assim como loucura. O que me salvou, percebo-o agora, foi o fato de que se transformou numa coisa muito diferente. Não perdurou como suspense — ele foi substituído por provas horrendas. Provas, sim, a partir do momento em que me comprometi de verdade.

Esse momento se deu durante uma hora numa tarde que passei ao ar livre a sós com minha pupila mais jovem. Havíamos deixado Miles dentro de casa, na almofada vermelha de um poial junto a uma janela; ele queria terminar de ler um livro e eu aprovara com entusiasmo um impulso tão louvável num rapazinho cujo único defeito era um ocasional excesso de agitação. Sua irmã, pelo contrário, estava animada para sair, e fiquei caminhando com ela por meia hora, buscando a sombra, pois o sol ainda ia alto e o dia estava excepcionalmente quente. Mais uma vez dei-me conta, em sua companhia, enquanto seguíamos, do quanto ela, tal como seu irmão — era o que tornava encantadoras as duas crianças —, conseguia deixar-me sozinha sem parecer me ignorar e acompanhar-me sem parecer estar me cercando. Nunca se tornavam importunas, e no entanto nunca pareciam desanimadas. Minha atenção a elas na verdade consistia em vê-las se divertindo muitíssimo sem mim: era um espetáculo que elas pareciam preparar ativamente e que me envolvia como admiradora ativa. Eu caminhava num mundo inventado por elas — elas não tinham nenhuma oportunidade de recorrer ao meu; assim, todo o tempo eu era, para elas, uma pessoa ou coisa notável exigida pela brincadeira do momento, e isso era apenas, graças a minha qualidade superior, altíssima, uma sinecura muito alegre e ilustre. Já não lembro o que eu era na ocasião em questão; lembro apenas que era algo muito importante e muito silencioso, e que Flora brincava muito a sério. Estávamos à beira do lago e, como recentemente começáramos a estudar geografia, o lago era o mar de Azov.

De repente, nessas circunstâncias, me dei conta de que, do outro lado do mar de Azov, havia uma pessoa a nos observar com interesse. O modo como a consciência disso se formou em mim foi a coisa mais estranha deste mundo — a mais estranha, isto é, excetuando-se a coisa muito mais estranha com que ela rapidamente se fundiu. Eu estava sentada, a trabalhar com as mãos — pois eu era algo que podia se sentar — no velho banco de pedra de onde se tinha uma vista do lago; e nessa posição comecei a sentir com certeza, e no entanto sem visão direta, a presença, à distância, de uma terceira pessoa. As velhas árvores, os arbustos cerrados, faziam uma sombra extensa e agradável, porém ainda impregnada da luminosidade da hora quente e silenciosa. Não havia ambiguidade nenhuma em nada; nenhuma, ao menos, na convicção que de uma hora para outra ganhou forma em mim quanto ao que eu haveria de ver bem à minha frente, do outro lado do lago, se levantasse a vista. Naquele momento, meus olhos estavam voltados para o trabalho de costura que me ocupava, e ainda sou capaz de sentir mais uma vez o espasmo do esforço para não movê-los enquanto não tivesse conseguido me controlar a ponto de decidir o que fazer. Havia um corpo estranho à vista — uma figura cujo direito de estar ali questionei de imediato, veementemente. Lembro-me de enumerar à perfeição as possibilidades, dizendo a mim mesma que nada seria mais natural, por exemplo, do que o aparecimento de um dos empregados da casa, ou até mesmo de um mensageiro, um carteiro ou o entregador de algum comerciante, vindo da aldeia. Esses pensamentos tiveram sobre minha certeza prática tão pouco efeito quanto eu percebia — ainda sem ter olhado — terem tido sobre o caráter e a atitude da pessoa que nos visitava. Nada era mais natural do que tais coisas serem as outras coisas que, em absoluto, não eram.

Quanto à identidade da aparição, dela me asseguraria tão logo o pequeno relógio de minha coragem chegasse ao segundo exato; nesse ínterim, com um esforço que já era intenso, voltei a vista diretamente para a pequena Flora, que, no momento, estava a cerca de dez metros de mim. Meu coração parou por um instante, de espanto e terror, diante da questão de se também ela veria; e prendi a respiração enquanto aguardava o que um grito dela, o que algum súbito sinal inocente ou de interesse ou de alarme da parte dela haveria de me dizer. Esperei, mas nada aconteceu; então, em primeiro lugar — e há nisso algo de mais sinistro, sinto, do que em qualquer outra coisa que tenho a relatar —, fui dominada pela sensação de que, no último minuto, todos os sons que vinham dela haviam cessado; e, em segundo lugar, pela circunstância de que, também durante aquele minuto, ela, em meio à brincadeira, tinha virado as costas para a água. Era essa a atitude assumida pela menina quando por fim olhei para ela — olhei com a convicção confirmada de que estávamos ainda, juntas, sendo diretamente observadas. Flora havia pegado um pequeno pedaço plano de madeira, que por acaso tinha um orifício o qual, estava claro, lhe dera a ideia de nele enfiar um outro fragmento que faria as vezes de mastro, o todo se transformando num barco. Este segundo pedaço, enquanto eu a observava, ela estava com muita determinação e concentração tentando fixar no lugar. Minha percepção do que ela estava fazendo me deu forças, de modo que após alguns segundos senti-me preparada para mais. Então novamente levantei a vista — encarei o que era preciso encarar.

7

Procurei a sra. Grose assim que pude; e não sei explicar de modo inteligível como consegui suportar o intervalo. Porém ainda ouço minha voz gritando quando praticamente me joguei nos braços dela: "Elas *sabem* — é monstruoso: elas sabem, elas sabem!".

"Mas que cargas-d'água...?" Eu sentia sua perplexidade ao me abraçar.

"Ora, tudo que *nós* sabemos — e sabe Deus o que mais!" Então, quando ela me soltou, expliquei-me a ela, expliquei-me, talvez apenas nesse momento com coerência total, a mim mesma. "Duas horas atrás, no jardim" — mal pude pronunciar as palavras — "A Flora *viu*!"

A sra. Grose reagiu como se a um soco no estômago. "Ela lhe disse isso?", exclamou, ofegante.

"Nem uma palavra — isso é que é o mais horrível. Ela guardou para si! Uma criança de oito anos, *aquela* criança!" Ainda indizível, para mim, era o que havia de desnorteante naquilo.

A sra. Grose, é claro, ficou ainda mais boquiaberta. "Então como a senhora sabe?"

"Eu estava lá — vi com meus próprios olhos: vi que ela tinha perfeita consciência."

"Consciência *dele*?"

"Não — *dela*." Dei-me conta, ao falar, de que devia estar com uma expressão prodigiosa, pois captei o lento reflexo dela no rosto de minha colega. "Outra pessoa — dessa vez; mas uma figura inquestionavelmente horrenda e malévola, tanto quanto a outra — e com que ar, e que rosto! —, do outro lado do lago. Eu estava lá com a menina — por uma hora de tranquilidade; e no meio disso ela apareceu."

"Apareceu como, vindo de onde?"

"De onde eles vêm! Ela simplesmente apareceu e ficou parada, mas não tão perto."

"E sem se aproximar mais?"

"Ah, pelo efeito e pela sensação, era como se estivesse tão próxima quanto a senhora!"

Minha amiga, movida por um impulso estranho, deu um passo atrás. "Era alguém que a senhora nunca viu?"

"Era. Mas alguém que a menina já viu. Que *a senhora* já viu." Então, para mostrar como eu já havia pensado bem em tudo: "Minha predecessora — a que morreu".

"A senhorita Jessel?"

"A senhorita Jessel. A senhora não acredita em mim?", insisti.

Ela virava-se para um lado e outro, aflita. "Como a senhora pode ter certeza?"

Esse comentário despertou em mim, nervosa como estava, um rasgo de impaciência. "Então pergunte à Flora — *ela* tem certeza!" Porém tão logo falei voltei atrás. "Não, pelo amor de Deus, não faça isso! Ela vai dizer que não — vai mentir!"

A sra. Grose não estava tão perplexa que não protestasse, instintivamente: "Ah, mas *como* a senhora pode...?".

"Porque tenho certeza. A Flora não quer que eu saiba."

"Então é só para poupá-la."

"Não, não — a coisa é mais profunda, mais profunda! Quanto mais repiso, mais vejo, e quanto mais vejo, mais tenho medo. Não sei mais o que eu *não* vejo — que medo eu *não* tenho!"

A sra. Grose tentava acompanhar-me. "A senhora quer dizer que tem medo de vê-la de novo?"

"Ah, isso é o de menos — agora!" Então expliquei: "O medo é de *não* voltar a vê-la".

Mas minha colega parecia pasma. "Não estou entendendo."

"Ora, medo de que a menina continue com essa história — e ela *vai* continuar, com certeza — sem que eu saiba."

Diante dessa possibilidade, a sra. Grose por um momento desabou, mas para logo em seguida voltar a firmar-se, como se movida pela força positiva da consciência do que, se cedêssemos o mínimo que fosse, deixaríamos acontecer. "Não, não... Não podemos perder a cabeça! E, afinal, se ela não se importa...!" Arriscou um chiste macabro. "Talvez ela goste!"

"Gostar *disso* — um pedacinho de gente como ela!"

"Isso não prova a inocência da pobrezinha?", minha amiga indagou, ousada.

Ela, por um instante, quase me convenceu. "Ah, temos que nos aferrar a essa ideia — temos que nos aferrar a ela! Se não é prova do que a senhora diz, é prova de... sabe Deus o quê! Pois a mulher é o horror dos horrores."

A sra. Grose, diante disso, fixou a vista no chão; então, erguendo-a por fim, pediu: "Diga-me como a senhora sabe".

"Então a senhora admite que ela era isso mesmo?", exclamei.

"Diga-me como a senhora sabe", minha amiga limitou-se a repetir.

"Como sei? Só de vê-la! O modo como ela olhava."

"Olhava para a senhora, é isso — com um olhar mau?"

"Ah, não, isso eu teria suportado. Ela nem olhou para mim. Fixava só a criança."

A sra. Grose tentou ver a cena. "Fixava a criança?"

"Ah, com uns olhos terríveis!"

Ela olhou fixamente para meus olhos como se eles pudessem assemelhar-se aos da outra. "Um olhar antipático, é isso?"

"Deus nos livre, não. Algo muito pior."

"Pior que antipatia?" Agora ela estava de fato confusa.

"Com uma determinação — indescritível. Uma espécie de intenção furiosa."

Fiz com que ela empalidecesse. "Intenção?"

"De apossar-se dela." A sra. Grose — os olhos ainda voltados para os meus — estremeceu e andou até a janela; e enquanto olhava para fora completei minha afirmativa. "É *isso* que a Flora sabe."

Depois de algum tempo ela virou-se. "A pessoa estava de preto, a senhora disse?"

"De luto — malvestida, quase maltrapilha. Mas, sim, de uma beleza extraordinária." Reconheci então aquilo a que eu por fim, pouco a pouco, conduzira a vítima de minha confidência, pois ela ponderou essa informação de modo quase visível. "Ah, bonita, sim... e muito, muito", insisti. "Belíssima. Porém infame."

Lentamente ela voltou a mim. "A senhorita Jessel... era mesmo infame." Mais uma vez, tomou-me a mão nas suas, apertando-a bem como se quisesse me dar forças para enfrentar a tensão maior que esta revelação pudesse causar em mim. "Os dois eram infames", disse por fim.

Desse modo, por alguns instantes, mais uma vez encaramos a situação juntas; e senti que sem dúvida ajudava um pouquinho ver as coisas de forma tão nítida. "Agradeço", disse eu, "sua profunda discrição de não haver falado antes; mas sem dúvida chegou a hora de eu saber tudo." Ela pareceu concordar, porém ainda apenas com seu silêncio; constatando esse fato, prossegui: "Preciso saber agora. De que ela morreu? Vamos, entre eles havia alguma coisa".

"Havia tudo."

"Apesar da diferença...?"

"Ah, de nível, de situação?", ela abriu-se, melancólica. "*Ela* era uma dama."

Pensei um pouco; mais uma vez, entendi. "Sim, era uma dama."

"E ele, terrivelmente ordinário", disse a sra. Grose.

Senti que sem dúvida era desnecessário insistir demais, com tal pessoa, a respeito do lugar ocupado por um criado; mas nada me impedia de aceitar a avaliação feita por minha colega do aviltamento de minha predecessora. Havia uma maneira de lidar com isso, e foi o que fiz; para que eu pudesse formar uma imagem completa — fundamentada em dados — do falecido criado, esperto e bem-apessoado, de nosso patrão; insolente, confiante, estragado, depravado. "O sujeito era um cachorro."

A sra. Grose pensou, como se talvez houvesse espaço para algum detalhamento. "Nunca vi ninguém como ele. Ele fazia o que queria."

"Com *ela*?"

"Com todo mundo."

Então foi como se naquele instante, nos olhos de minha amiga, a srta. Jessel tivesse reaparecido. Eu, ao menos, por um momento julguei ver neles uma evocação da mulher tão nítida quanto a imagem que eu vira junto ao lago; e afirmei em tom decisivo: "Pelo visto, era o que *ela* também queria!".

O rosto da sra. Grose deu a entender que de fato fora assim, porém ao mesmo tempo minha colega afirmou: "Coitada — ela pagou caro!".

"Então a senhora sabe do que ela morreu?", indaguei.

"Não, não sei nada. Eu não queria saber; achava muito bom não saber; e dei graças a Deus por ela estar livre disso tudo!"

"No entanto, a senhora fazia ideia..."

"Do verdadeiro motivo pelo qual ela foi embora? Ah, quanto a isso — sim. Ela não tinha como ficar. Onde já se viu... uma governanta! E depois imaginei... e ainda imagino. E o que eu imagino é terrível."

"Não tão terrível quanto o que *eu* imagino", repliquei; e com essa frase devo ter demonstrado a ela — e disso eu tinha plena consciência — o quanto eu estava fragorosamente derrotada. Isso evocou nela mais uma vez toda sua compaixão por mim, e diante do toque renovado de sua bondade meu poder de resistir falhou. Eu própria, tal como ela fizera na outra ocasião, debulhei-me em lágrimas; ela apertou-me contra seu colo maternal, e meu lamento transbordou. "Não estou conseguindo!", soluçava em desespero; "não estou conseguindo salvá-las nem protegê-las! É muito pior do que eu sonhava — elas estão perdidas!"

8

O que eu dissera à sra. Grose era mesmo verdade: havia, na questão que eu lhe apresentara, profundezas e possibilidades que eu não tinha determinação suficiente para sondar; assim, quando nos encontramos mais uma vez em plena perplexidade concluímos em comum acordo que tínhamos a obrigação de resistir a fantasias extravagantes. Não poderíamos perder a cabeça, mesmo que perdêssemos tudo o mais — por mais difícil que isso viesse a ser, tendo em vista o que, na nossa experiência prodigiosa, menos podia ser questionado. Tarde naquela noite, quando a casa já dormia, tivemos outra conversa em meu quarto; nessa ocasião a sra. Grose concordou plenamente comigo que não havia como questionar que eu vira exatamente o que vira. Para fazê-la comprometer-se por completo quanto a esse ponto, constatei, bastava perguntar-lhe como, se eu havia "inventado" a história, me fora possível apresentar, para cada uma das pessoas que me aparecera, uma imagem que revelava, até o mínimo detalhe, suas características específicas — um retrato com base no qual, ao lhe ser exibido, ela pôde reconhecê-las e nomeá-las no mesmo instante. A sra. Grose desejava, é claro — e como criticá-la por isto? —, dar um fim àquele assunto; e prontamente assegurei-lhe que, de minha parte, meu interesse nele assumira a forma de um impulso violento de tentar encontrar uma maneira de escapar dele. Concordamos que o mais provável era que na eventualidade da recorrência do fenômeno — pois isso julgávamos inevitável — eu me acostumaria com o perigo a que me expunha, e afirmei com todas as letras que minha exposição pessoal tornara-se, de súbito, o menor de meus incômodos. Era minha nova suspeita que se tornara intolerável; no entanto, até mesmo para essa complicação as últimas horas do dia haviam trazido um pouco de alívio.

Ao afastar-me da sra. Grose, após minha explosão inicial, eu naturalmente voltara a meus pupilos, associando o remédio exato para meu desânimo à consciência do encantamento que eles me proporcionavam, o qual, como já se tornara claro, era algo que eu podia sem dúvida cultivar e que até então não me falhara. Bastava-me, em poucas palavras, voltar a mergulhar no convívio especial de Flora e lá dar-me conta — era quase um luxo! — de que ela era capaz de pôr sua mãozinha consciente no local exato da dor. Ela olhara para mim, imersa numa doce especulação, e me acusara sem rodeios de ter "chorado". Julgava eu ter apagado os desagradáveis sinais; mas pude literalmente — ao menos por ora — regozijar-me, sob aquela caridade imensurável, por não terem eles desaparecido de todo. Olhar nas profundezas azuis dos olhos da criança e tomar sua beleza como um truque de astúcia prematura era incorrer num cinismo que me fazia preferir naturalmente abjurar meu julgamento e, até onde tal fosse possível, minha agitação. Essa abjuração não era algo que se conseguisse apenas por desejá-la, mas eu podia ao menos repetir à sra. Grose — como fiz naquela ocasião, vez após vez, na alta madrugada — que com suas vozes no ar, sua pressão no meu coração e seus rostos perfumosos colados no meu, vinha abaixo tudo que não fosse sua fragilidade e sua beleza. Era uma pena que, de algum modo, para estabelecer esse fato de uma vez por todas, eu fosse obrigada a recapitular os sinais de sutileza que, naquela tarde, junto ao lago, me levaram a realizar um feito miraculoso de autodomínio. Era uma pena eu ter de investigar novamente a certeza do momento em si e repetir de que modo me viera como uma revelação a consciência de que a comunhão inconcebível que surpreendi então era, para ambas as partes, algo habitual. Era uma pena eu ter de enumerar mais uma vez, com voz trêmula, as razões que me levaram, em minha confusão, a nem sequer questionar a ideia de que a menininha via nossa visitante tal como eu via a própria sra. Grose, e que ela queria, exatamente por ver o que via, fazer-me crer que nada via e ao mesmo tempo, sem nada demonstrar, descobrir se eu estava mesmo vendo! Era uma pena eu ter de relatar mais uma vez a ponderosa atividadezinha por meio da qual ela tentou distrair minha atenção — o perceptível aumento de movimentação, a maior intensidade da brincadeira, a cantoria, a algaravia, as tolices e o convite para traquinar.

No entanto, não tivesse eu me empenhado, a fim de provar que nada havia ali, nessa revisão, eu não teria atentado para dois ou três elementos vagamente tranquilizadores que ainda me restavam. Eu não teria podido, por exemplo, assegurar a minha amiga de que estava certa — o que sem dúvida era bom — de que *eu*, ao menos, nada havia revelado. Eu não teria sido levada, pela tensão da necessidade, pelo desespero mental — mal sei como denominá-lo —, a evocar outras informações que poderiam ser obtidas praticamente empurrando minha colega contra a parede. Ela me contara, pouco a pouco, sob pressão, muita coisa; porém um pequeno detalhe esquivo, do lado errado de tudo, por vezes ainda me roçava a fronte como uma asa de morcego; e lembro que nessa ocasião — pois tanto a casa adormecida quanto a concentração de nosso perigo e nossa vigília pareciam ajudar — senti como era importante dar o último puxão na cortina. "Não posso acreditar numa coisa tão horrível", lembro-me de ter dito; "não, deixemos bem claro, minha cara, que não acredito. Mas se eu acreditasse, sabe, há uma informação que eu faria questão agora, sem poupar a senhora nem um pouco — ah, absolutamente nada! —, de lhe extrair. O que a senhora tinha em mente quando, na nossa aflição, antes de Miles chegar, causada pela carta da escola, me disse, pressionada por mim, não poder afirmar que ele literalmente *jamais* fizera nada de 'mau'? De fato, ele literalmente *não* fez nada de mau durante estas semanas que tenho convivido com ele, observando-o com atenção; ele tem agido como um verdadeiro prodigiozinho imperturbável de uma bondade deliciosa e adorável. Assim, a senhora poderia muito bem ter subscrito aquela afirmativa se não tivesse, por acaso, em mente alguma exceção à regra. Que exceção foi essa, e a que episódio que a senhora tenha observado pessoalmente ela se refere?"

Era um interrogatório terrivelmente sério, mas aquela conversa não era de amenidades, e, fosse como fosse, antes que a luz gris do alvorecer nos aconselhasse a nos separar obtive minha resposta. O que minha amiga tinha a dizer revelou-se muitíssimo importante. Era nada mais, nada menos que a circunstância de que por um período de alguns meses Quint e o menino tinham sido perpetuamente inseparáveis. A verdade, muito apropriada, era que ela ousara criticar como imprópria, incongruente mesmo, uma proximidade tão intensa, chegando até a ventilar o assunto às claras com a srta. Jessel. A srta. Jessel, de modo muito estranho, respondera que ela cuidasse de sua vida, e a boa mulher, ao ouvir tal resposta, abordou diretamente o pequeno Miles. O que ela dissera a ele, como eu insistisse, foi que *ela* gostava de ver que um pequeno cavalheiro tinha consciência de sua posição social.

Diante dessa afirmativa, eu, é claro, insisti ainda mais. "A senhora lhe fez ver que Quint era um reles serviçal?"

"Algo assim! E foi a resposta dele, entre outras coisas, que foi má."

"Entre outras coisas?" Aguardei. "Ele contou o que a senhora disse ao Quint?"

"Não, nada disso. É que ele não me deu ouvidos!", ela ainda conseguiu me dizer. "De qualquer modo, eu tinha certeza", ela prosseguiu, "de que ele não me ouvira. Mas ele negou certas ocasiões."

"Que ocasiões?"

"Quando os dois ficavam juntos tal como se o Quint fosse o professor dele — e um grande professor — e a senhorita Jessel fosse só da menininha. Quer dizer, quando ele saía com aquele sujeito e passava horas com ele."

"Então ele se esquivava — negava que estivesse com ele?" Ela pareceu concordar comigo o bastante para me fazer acrescentar um instante depois: "Entendi. Ele mentia".

"Ah!" murmurou a sra. Grose. Dava a entender que a coisa não tinha importância; de fato, deixou isso claro quando afirmou em seguida: "Mas é que, afinal de contas, a senhorita Jessel não se incomodava. Ela não proibia."

Pensei por um instante. "Ele usou esse fato como justificativa?"

Como resposta, ela baixou a cabeça de novo. "Não, nunca falou nisso."

"Nunca falou na senhorita Jessel em relação ao Quint?"

Ela viu, corando visivelmente, aonde eu queria chegar. "Bom, ele não demonstrava nada, não. Ele negava", ela repetiu, "negava."

Meu Deus, como a pressionei então! "De modo que a senhora percebeu que ele sabia o que se passava entre os dois desgraçados?"

"Eu não sei... eu não sei!", a pobre mulher gemeu.

"A senhora sabe, sim, minha querida", repliquei; "apenas não tem a minha terrível franqueza, e por isso não admite, por timidez, decoro e delicadeza, nem sequer a impressão que, no passado, quando a senhora, sem a minha ajuda, era obrigada a sofrer em silêncio, a torturava mais do que tudo. Mas ainda hei de lhe arrancar essa confissão! Havia algo no menino que a fazia pensar", prossegui, "que ele cobria e ocultava aquele relacionamento."

"Ah, ele não podia impedir..."

"Que a senhora descobrisse a verdade? Sem dúvida! Mas, meu Deus", pus-me a pensar, com veemência, "então isso mostra o que eles conseguiram, nesse sentido, fazer com que ele se tornasse!"

"Ah, nada que não tenha sido consertado *agora*!", a sra. Grose argumentou, lúgubre.

"Não admira que a senhora tenha feito uma cara tão estranha", persisti, "quando lhe falei na carta da escola!"

"Duvido que minha cara fosse mais estranha que a sua!", ela retorquiu, com uma força sincera. "E se ele era mesmo tão mau assim, como é que agora virou um anjinho?"

"Sim, como? E se era um diabinho na escola! Como, como, como? Pois bem", prossegui, atormentada, "a senhora pode voltar a me fazer essa pergunta, porém não vou saber respondê-la nos próximos dias. Mas, sim, volte a fazê-la depois!", exclamei de tal modo que minha amiga arregalou os olhos. "Há caminhos que, no momento, não posso me dar o direito de trilhar." Nesse ínterim, retomei o primeiro exemplo por ela dado — ao qual se referira pouco antes —, o talento do menino para lograr escapadas de vez em quando. "Se o Quint, tal como a senhora o repreendeu naquela oportunidade, era um reles serviçal, uma das coisas que o Miles lhe disse, imagino eu, foi que a senhora também o era." Mais uma vez, sua concordância foi tal que prossegui: "E a senhora lhe perdoou isso?".

"*A senhora* não perdoaria?"

"Mas claro!" E trocamos então, no silêncio, uma manifestação de estranha alegria. Então continuei: "Fosse como fosse, enquanto ele estava com aquele homem...".

"A pequena Flora estava com a mulher. Era perfeito para todos eles!"

E era perfeito para mim também; isto é, confirmava plenamente a terrível ideia que, naquele exato momento, eu me proibia de conceber. Porém a tal ponto eu conseguira reprimir a expressão dessa ideia que não vou, aqui, avançar mais no sentido de esclarecê-la senão por mencionar o comentário final que dirigi à sra. Grose. "Os fatos de ter ele mentido e sido malcriado são, admito, deslizes menos simpáticos do que eu esperava a senhora me relatar como manifestações da natureza dele. Mesmo assim", refleti, "vão me servir, pois me convencem, mais do que nunca, de que devo ficar atenta."

Enrubesci, no instante seguinte, quando percebi no rosto de minha amiga que ela o perdoara de modo muito mais categórico do que o episódio por ela relatado me levaria, movida por minha própria ternura, a fazer. Isso ficou patente quando, diante da porta da sala de estudos, ela despediu-se de mim. "Não acredito que a senhora acuse *o menino...*"

"De manter relações que esconde de mim? Ah, não esqueça que, enquanto eu não tiver provas adicionais, não acuso ninguém." Em seguida, antes de fechar a porta para que ela fosse, por outra passagem, para seu quarto, concluí: "O jeito agora é esperar".

9

Esperei, esperei, e os dias, à medida que passavam, atenuavam um pouco minha consternação. Na verdade, bastou que decorressem pouquíssimos deles, estando meus pupilos diante de meus olhos constantemente, sem a ocorrência de nenhum novo incidente, para que uma espécie de esponja passasse sobre as fantasias opressivas e mesmo as lembranças odiosas. Como já observei, entregar-me à extraordinária graça dessas crianças era uma atividade que eu podia cultivar de modo ativo, e nem é preciso dizer que explorei essa fonte ao máximo. Estranho demais para que eu possa exprimi-lo, certamente, foi o quanto me empenhei na luta contra minhas novas percepções; a tensão, porém, teria sem dúvida sido maior ainda se nesse empenho eu não houvesse tido sucesso com tanta frequência. Eu me perguntava como era possível que meus pequenos pupilos não adivinhassem que eu nutria pensamentos estranhos a respeito deles; e o fato de que tais pensamentos tinham o efeito de torná-los ainda mais interessantes não ajudava, por si só, de modo direto, a mantê-los no escuro. Eu tremia de medo de que eles percebessem que eram mesmo muitíssimo mais interessantes então. De qualquer modo, vendo a coisa pelo pior ângulo, o que eu fazia muitas vezes em minhas meditações, qualquer turvamento da inocência deles não podia senão — sendo eles tão cândidos e tão condenados — constituir mais um motivo para correr riscos. Havia momentos em que um impulso irresistível me levava a abraçá-los e estreitá-los contra o peito. Em seguida, eu me perguntava de imediato: "O que eles vão pensar disso? O gesto não trai muita coisa?". Teria sido fácil mergulhar numa confusão melancólica e tempestuosa a respeito do quanto eu estaria traindo; mas a realidade, parece-me, das horas de paz que eu ainda podia desfrutar era que o encantamento imediato de meus pequenos companheiros me distraía até mesmo à sombra da possibilidade de que ele fosse algo calculado. Pois se me ocorria que talvez eu despertasse suspeitas ocasionais pelas pequenas explosões de minha paixão intensa por eles, também me punha a pensar se não haveria algo de estranho no perceptível incremento de suas demonstrações de afeto.

Nesse período, as crianças gostavam de mim de um modo extravagante, excepcional; o que, afinal, eu refletia, não era mais do que uma reação apropriada, levando-se em conta que elas eram constantemente paparicadas e abraçadas. As homenagens que me prestavam com tanta prodigalidade atuavam com tanto êxito, na verdade, sobre meus nervos, quanto se eu nunca tivesse a impressão, devo dizer, de estar literalmente surpreendendo-as a agir de caso pensado. Nunca antes, creio, elas haviam querido fazer tantas coisas para sua pobre protetora; refiro-me — se bem que seu desempenho nos estudos foi ficando cada vez melhor, o que naturalmente seria o que mais a agradaria — ao empenho em distraí-la, diverti-la, surpreendê-la; liam para ela passagens de livros, contavam-lhe histórias, encenavam-lhe adivinhas, saltando à sua frente, disfarçadas, no papel de bichos e personagens históricos, e acima de tudo deslumbravam-na com trechos que haviam decorado em segredo e que recitavam em intermináveis declamações. Eu jamais conseguiria explorar até o fim — se tentasse fazê-lo mesmo agora — a abundância prodigiosa de comentários discretos, e com correções ainda mais discretas, com que, nesse tempo, eu lhes sublinhava as horas cheias. Desde o início as crianças me haviam exibido uma facilidade para tudo, uma faculdade geral que, recomeçando sempre, atingia altitudes notáveis. Cumpriam suas pequenas tarefas como se as adorassem e deleitavam-se, por pura exuberância de talento, com pequenos milagres de memória que não lhes tinham sido exigidos. Elas apareciam a mim não apenas como tigres e romanos, mas também como shakespearianos, astrônomos e navegantes. Isso se dava de modo tão singular que, ao que parece, tinha muito a ver com um fato que até hoje não consigo explicar de outro modo: minha insólita complacência com relação ao problema de encontrar outra escola para Miles. O que lembro é que me sentia inclinada, por ora, a não levantar a questão, e tal inclinação certamente provinha da consciência de que o menino demonstrava o tempo todo uma inteligência extraordinária. Ele era inteligente demais para ser estragado por uma má governanta, uma filha de pároco; e o fio mais estranho, se não o mais brilhante, neste bordado mental a que me referi era a impressão que eu talvez tivesse formado, se ousasse pensar no assunto a sério, de que ele estava sendo influenciado por alguma força que atuava em sua pequena vida intelectual como um tremendo estímulo.

Porém, se era fácil pensar que um menino assim podia entrar para a escola mais tarde, a ideia de que um menino assim fora expulso por um diretor era de todo incompreensível. Devo acrescentar que, na presença das crianças — e nesse período eu tinha o cuidado de estar com elas quase o tempo todo —, não me era possível seguir nenhuma pista por muito tempo. Vivíamos numa nuvem de música, amor, sucesso, encenações teatrais. A musicalidade de ambas as crianças era intensa, mas o menino em particular tinha um dom maravilhoso de apreender e repetir. O piano da sala de estudos dissipava todas as fantasias sinistras; e quando ele falhava havia confabulações nos cantos, que terminavam com uma das crianças saindo da sala na maior animação, para "voltar" encarnando um novo personagem. Também eu tivera irmãos, e para mim não era nenhuma revelação constatar que uma menininha era capaz de adorar um menininho do modo mais servil. O mais espantoso de tudo era constatar que havia no mundo um menininho capaz de ter tanta consideração por alguém de idade, sexo e inteligência inferiores. Eles eram extraordinariamente unidos, e dizer que nunca brigavam nem se queixavam é fazer um elogio grosseiro a uma doçura de tal qualidade. Às vezes, de fato, quando eu própria me tornava grosseira, talvez percebesse sinais de pequenos entendimentos entre eles para que um dos dois me mantivesse ocupada enquanto o outro escapulia. Há um lado *naïf*, imagino, em toda diplomacia; mas se meus pupilos a praticavam comigo, sem dúvida era com um mínimo de vulgaridade. Foi outra a origem da vulgaridade que, após uma calmaria, de súbito irrompeu.

Constato que hesito diante do abismo; mas é preciso dar o salto. Ao relatar o que havia de horrendo em Bly, não estou apenas desafiando a fé mais liberal — o que, a mim, pouco me dá; porém — e isto é coisa muito diferente — revivo os sofrimentos por que passei, mais uma vez faço a difícil travessia até o fim. Houve de repente um momento em que, olhando para trás, toda a situação para mim passa a resumir-se a puro sofrimento; mas ao menos cheguei a seu âmago, e o caminho mais reto é, sem dúvida, seguir em frente. Uma noite — sem nenhum prenúncio ou preparação — senti o toque frio da impressão que soprara em mim na noite de minha chegada e que, muito mais leve da outra vez, como já mencionei, provavelmente não teria deixado marcas profundas na minha memória se o que ocorreu em seguida não fosse tão turbulento. Eu não tinha me deitado; estava lendo à luz de duas velas. Havia uma sala cheia de livros velhos em Bly — alguns eram obras de ficção do século passado, que tinham chegado, sob forma de uma notoriedade claramente reprovada, mas nunca como exemplares concretos, a meu lar isolado, despertando a curiosidade inconfessa de minha juventude. Lembro que o livro que tinha nas mãos era *Amelia*, de Fielding, e que eu estava de todo acordada. Lembro também de estar convencida de que já era terrivelmente tarde e de sentir uma forte aversão à ideia de consultar o relógio. Considero, por fim, que a cortina branca que cobria, como era costume naquele tempo, a cabeceira da caminha de Flora ocultava, como eu havia verificado muito tempo antes, o mais perfeito repouso infantil. Lembro, em suma, que, embora profundamente interessada na leitura, dei por mim, ao virar uma página e dispersar por completo o encantamento da história, levantando a vista do livro e fixando-a na porta de meu quarto. Houve um momento em que fiquei à escuta, relembrando a vaga sensação que tivera, na primeira noite, de algo indefinível a vagar pela casa, e percebi que o hálito suave do caixilho aberto da janela balançava de leve a persiana baixada até o meio. Então, com todos os sinais de uma determinação que teria parecido magnífica se houvesse alguém para admirá-la, larguei o livro, pus-me de pé, peguei uma vela, saí do quarto e, no corredor, mal iluminado pela chama que eu levava, sem fazer ruído fechei e tranquei a porta.

Não saberia dizer agora o que me determinava nem o que me guiava, mas atravessei o vestíbulo, segurando a vela no alto, até chegar a um lugar do qual eu via a janela alta que imperava na grande curva da escada. Nessa altura, dei-me conta, de modo precipitado, de três coisas. Eram praticamente simultâneas e no entanto tinham lampejos de sucessão. Minha vela, com um floreio vistoso, apagou-se, e percebi, junto à janela descoberta, que o primeiro clarão da alvorada a tornava desnecessária. Sem ela, no instante seguinte, vi que havia alguém na escada. Falo em sequências, mas não precisei senão de segundos para enrijecer-me, antecipando um terceiro encontro com Quint. A aparição havia chegado ao patamar do meio e estava, portanto, no ponto mais próximo à janela, onde, ao me ver, parou e olhou-me fixamente, tal como me olhara na torre e no jardim. Ele me conhecia tanto quanto eu o conhecia; assim, à luz fria e pálida do amanhecer, com um brilho na vidraça e outro na superfície de carvalho polido do lanço inferior da escada, encaramo-nos com a mesma intensidade. Nessa ocasião, ficou mais do que patente que ele era uma presença viva, detestável e perigosa. Mas não foi essa a maravilha das maravilhas; guardo tal distinção para outra circunstância, muito diversa: a de que o terror havia, de modo inconfundível, me abandonado, e que não havia nada em mim, ali, que não estivesse à altura dele.

Senti muita angústia depois daquele momento extraordinário, mas não, graças a Deus, terror. E ele sabia disso — eu própria, após um instante, tive uma consciência magnífica do fato. Senti, com uma confiança ferozmente rigorosa, que se me mantivesse firme por um minuto eu não teria mais — por ora, ao menos — de enfrentá-lo; e durante esse minuto, como era de esperar, a coisa foi tão humana e horrenda quanto um encontro real: horrendo *porque* era humano, tão humano quanto encontrar sozinha, na madrugada, numa casa adormecida, um inimigo, um aventureiro, um criminoso. Era o silêncio sepulcral de nosso longo olhar a uma distância tão exígua que dava a todo aquele horror, por maior que fosse, seu único aspecto antinatural. Se eu tivesse encontrado um assassino em tal lugar e tal hora, teríamos ao menos nos falado. Alguma coisa teria se passado, na vida, entre nós; se nada tivesse se passado, um de nós teria se movido. De tal modo prolongou-se o momento, que não teria sido necessário muito mais para me fazer duvidar de que *eu mesma* estava viva. Não sei como exprimir o que ocorreu depois senão dizendo que o próprio silêncio — que era, de certo modo, uma prova de minha força — tornou-se o elemento em que vi a figura desaparecer; em que a vi, com clareza, virar-se, tal como teria visto o miserável a que ela outrora pertencera virar-se ao receber uma ordem, e seguir, com meu olhar fixo naquelas costas desprezíveis, que não se tornariam mais desfiguradas se ostentassem uma corcunda, escada abaixo, mergulhando na escuridão em que a próxima curva se perdia.

10

Fiquei algum tempo parada no alto da escada, mas logo me dei conta de que, quando meu visitante ia embora, ele ia mesmo embora: em seguida, voltei a meu quarto. A primeira coisa que vi à luz da vela que deixara acesa foi que a caminha de Flora estava vazia; e ao constatar tal coisa prendi a respiração, tomada por todo o terror que, cinco minutos antes, eu conseguira conter. Corri até o lugar em que a deixara deitada, onde (pois a pequena colcha de seda e os lençóis estavam desarrumados) as cortinas brancas haviam sido enganosamente fechadas; em seguida, meu passo, para meu alívio inexprimível, provocou um som como resposta: percebi uma agitação na persiana, e a criança, abaixando-se, emergiu, rosada, do outro lado dela. Olhei para ela, a exibir tanto de sua pureza e tão pouco de sua camisola, com os pezinhos rosados descalços e o halo dourado de seus cachos. Parecia intensamente séria, e jamais experimentei tamanha sensação de perder uma vantagem conquistada (que me proporcionara um frisson tão prodigioso) quanto senti ao me dar conta de que ela se dirigia a mim em tom de reprovação. "Sua feia: onde é que a senhora estava?" — e, em vez de criticar sua própria irregularidade, dei por mim acusada e me explicando. Ela própria explicou--se, aliás, com a mais linda e entusiasmada simplicidade. Deitada em sua cama, havia percebido de repente que eu saíra do quarto, e levantara-se de um salto para ver que fim eu levara. Eu havia caído, com a felicidade de seu reaparecimento, sentada em minha cadeira — sentindo então, e só então, um pouco de fraqueza; e ela veio correndo em minha direção, jogando-se em meu joelho, exibindo em cheio, à luz da vela, o rostinho maravilhoso ainda corado de sono. Lembro que fechei os olhos por um instante, entregando-me, conscientemente, como se ao excesso de beleza que brilhava no azul dos olhos dela. "Você estava me procurando pela janela?", indaguei. "Você pensou que eu podia estar andando no jardim?"

"Bem, sabe, eu achei que havia alguém...", disse-me sorrindo, sem empalidecer.

Ah, com que intensidade olhei-a nesse momento! "E você viu alguém?"

"Ah, *não*!", respondeu, quase com indignação, valendo-se de todo o privilégio da inconsequência infantil, se bem que prolongando com doçura a negativa.

Nesse instante, no estado de nervos em que eu me encontrava, tive certeza absoluta de que ela estava mentindo; e se mais uma vez fechei os olhos foi diante do brilho ofuscante das três ou quatro maneiras como eu poderia reagir a esse fato. Uma delas, por um segundo, tentou-me com tamanha intensidade que, para dominá-la, devo ter agarrado minha menininha com um espasmo a que, maravilhosamente, ela se submeteu sem um grito nem um sinal de susto. Por que não abrir o jogo com ela ali mesmo e resolver a questão — dizer tudo diretamente para seu lindo rostinho iluminado? "Você viu, sim, *sabe* que viu e que já está desconfiada de que eu acredito; assim, por que não confessá-lo a mim com franqueza, para que possamos conviver juntas com a situação e talvez, na estranheza de nosso destino, entender onde estamos e o que significa isso?" Essa solicitação, infelizmente, morreu tão logo nasceu: se eu tivesse sucumbido a ela de imediato, talvez tivesse me poupado — bem, logo se verá do quê. Em vez de sucumbir, pus-me de pé num salto, olhei para a cama de Flora e adotei, impotente, um caminho intermediário: "Por que você fechou a cortina para me fazer pensar que ainda estava na cama?".

Flora, luminosa, pensou por um instante; em seguida, com seu sorrisinho divino: "Porque não gosto de assustar a senhora!".

"Mas e se eu tivesse, como você imaginava, saído de casa...?"

Ela recusava-se terminantemente a ficar perplexa; olhou para a chama da vela como se a pergunta fosse irrelevante, ou ao menos impessoal, como as da sra. Marcet* ou nove vezes nove. "Ah", foi sua resposta bem adequada, "a senhora ia voltar, e voltou mesmo, não é?" E depois, quando a menina se deitou, tive de ficar por um bom tempo sentada bem junto dela segurando-lhe a mão, para provar que eu reconhecia a pertinência de meu retorno.

Pode-se imaginar como foi, a partir daí, a atmosfera geral das minhas noites. Repetidamente ficava acordada até sei lá que horas; escolhia momentos em que minha companheira de quarto estava sem dúvida adormecida e, saindo sorrateira, caminhava em silêncio pelo corredor, indo mesmo até o lugar onde vira Quint pela última vez. Mas nunca mais voltei a vê-lo lá; e posso adiantar-me logo e dizer que em nenhuma outra ocasião o vi dentro de casa. Por outro lado, por um triz não vivi, na escada, uma outra aventura. Olhando para baixo do alto, uma vez reconheci a presença de uma mulher sentada num dos degraus mais baixos de costas para mim, o corpo meio curvado e a cabeça, numa atitude de desamparo,

---

* Jane H. Marcet (1785-1858) foi uma autora de obras de literatura infantil, gramática e divulgação científica, em formato de diálogo, com perguntas e respostas. (N.T.)

nas mãos. Eu mal havia chegado à escada, porém, quando ela desapareceu sem olhar para trás nem me ver. Eu sabia, não obstante, qual o exato rosto terrível que ela teria me mostrado; e fiquei a imaginar se, em vez de estar no alto eu estivesse embaixo, teria tido, subindo a escada, o mesmo autocontrole que tivera em meu encontro com Quint. Bem, não faltaram outras oportunidades de manifestar autocontrole. Onze noites após meu último encontro com esse cavalheiro — meus dias agora eram todos numerados —, levei um susto que por um triz não me fez perdê-lo, e que de fato, por ter sido de tal modo inesperado, foi o maior choque de todos. Foi precisamente na primeira noite dessa série que, cansada de velar, senti que não estaria sendo relapsa se voltasse a me deitar na minha hora de antes. Dormi de imediato, como verifiquei depois, até cerca de uma da madrugada; mas quando acordei sentei-me de súbito, de todo desperta, como se uma mão me houvesse sacudido. Eu deixara uma vela acesa, mas ela estava apagada, e no mesmo instante tive certeza de que fora Flora quem a extinguira. Esse pensamento fez com que eu me pusesse de pé e fosse diretamente, no escuro, para sua cama, onde não a encontrei. Olhando para a janela, descobri mais uma coisa, e ao riscar um fósforo tudo ficou esclarecido.

A criança levantara-se novamente — dessa vez havia também soprado a vela, e tal como antes, com o fim de observar ou responder a alguém, espremera-se entre a persiana e a janela e olhava para a escuridão lá fora. Que ela agora estava vendo algo — o que não ocorrera na vez anterior, como eu própria constatara — foi provado pelo fato de não ter sido perturbada nem pela luz de meu fósforo nem pela pressa com que calcei as chinelas e pus nos ombros uma manta. Escondida, protegida, absorta, a menina claramente estava reclinada no parapeito — a janela abria-se para fora — e desse modo entregava-se. Uma lua grande e silenciosa ajudava-a, e esse fato afetou a decisão que tomei de imediato. Flora estava face a face com a aparição que nos visitara no lago, e agora podia comunicar-se com ela como antes não pôde. O que eu, por minha vez, tinha de fazer era, sem perturbá-la, chegar, a partir do corredor, a alguma outra janela voltada para o mesmo lado. Afastei-me sem que ela me ouvisse; saí do quarto, fechei a porta e fiquei a escutar, do lado de fora, tentando ouvir algum som que viesse da menina. Parada no corredor, eu olhava para a porta do quarto do irmão, que ficava a apenas dez passos de onde eu estava e que, de modo inexprimível, renovava em mim o estranho impulso a que me referi acima como uma tentação. E se eu entrasse direto no quarto dele e fosse até a janela? E se, expondo à sua perplexidade infantil a revelação de meus motivos, eu jogasse sobre o que restava do mistério o longo cabresto de minha ousadia?

Tal pensamento me deteve tempo suficiente para que eu caminhasse até a porta do quarto de Miles e hesitasse outra vez. Fiquei à escuta com uma atenção extraordinária; imaginei a coisa prodigiosa que poderia acontecer; perguntei-me se encontraria também a cama dele vazia e ele secretamente em vigília. Foi um minuto profundo, silencioso, ao fim do qual meu impulso fraquejou. Ele não estava fazendo nenhum ruído; talvez fosse inocente; o risco era horrendo; recuei. Havia uma figura no jardim — uma figura à espreita de algo, a visita com a qual Flora estava envolvida; mas não era uma visita associada ao meu menino. Hesitei outra vez, porém por outro motivo e apenas por alguns segundos; então tomei a decisão. Havia quartos vazios em Bly, e tratava-se apenas de fazer a escolha certa. Concluí de repente que a escolha certa era o mais baixo — ainda que ficasse bem acima dos jardins — na quina sólida da casa a que me referi como a torre velha. Era um cômodo grande, quadrado, mobiliado com certa pompa como quarto de dormir, cujo tamanho extravagante o tornava tão inconveniente que há anos, embora a sra. Grose o mantivesse muito bem-arrumado, não era ocupado. Com frequência eu o admirara, e assim sabia como mover-me em seu interior; bastou-me, após vacilar ao primeiro contato com a escuridão fria do desuso, atravessá-lo e destrancar do modo mais silencioso possível uma das gelosias. Feito isso, descobri a vidraça sem nenhum barulho e, encostando o rosto no vidro, percebi, numa escuridão pouco menor lá fora do que dentro, que estava olhando na direção certa. Então vi outra coisa. A lua tornava a noite extraordinariamente devassável e me mostrava no gramado uma pessoa, diminuída pela distância, que permanecia imóvel, como se fascinada, olhando para o lugar onde eu aparecera — isto é, não diretamente para mim, mas para algo que parecia estar acima de mim. Sem dúvida, havia outra pessoa lá em cima — havia alguém na torre; mas a presença no gramado não era, em absoluto, quem eu esperava que fosse e me apressara, confiante, para enfrentar. A presença no gramado — senti-me mal ao me dar conta do fato — era ninguém menos que o pobrezinho do Miles.

11

Foi só no dia seguinte à tarde que falei com a sra. Grose; o rigor com que eu mantinha meus pupilos sempre à vista tornava difícil falar com ela em particular, mais ainda por sentirmos nós duas a importância de não despertar — tanto nos criados quanto nas crianças — nenhuma suspeita de que estaria havendo uma agitação secreta ou uma discussão sobre coisas misteriosas. Quanto a isso, tranquilizava-me muito sua aparência de serenidade. Nada havia em seu rosto puro que traísse a outrem minhas horríveis confidências. Ela acreditava em mim, disso tinha eu certeza, por completo: caso contrário, não sei o que seria de mim, pois não me teria sido possível suportar tudo sozinha. Mas a sra. Grose era um magnífico monumento às vantagens da falta de imaginação, e se ela só via em nossos pequenos pupilos sua beleza e simpatia, sua alegria e inteligência, não tinha comunicação direta com as fontes de meu sofrimento. Se as crianças exibissem marcas visíveis de corrupção ou violência, a sra. Grose sem dúvida se tornaria, ao levantar as causas, tão abatida quanto elas; tal como se apresentava a situação, porém, eu sentia que, quando as contemplava, com os grandes braços alvos cruzados e o hábito da serenidade estampada no rosto, a boa senhora dava graças a Deus de constatar que, se elas estavam destruídas, os pedaços ainda serviam. Os voos de imaginação eram substituídos, em sua mente, pelo brilho constante de uma lareira, e eu já começava a perceber que, à medida que nela se firmava a convicção de que — como o tempo passava e nenhum incidente público ocorria — nossas crianças, no final das contas, sabiam cuidar de si próprias, ela reservava o grosso de sua solicitude para o triste caso da governanta delas. Isso, para mim, representava uma simplificação bem-vinda: eu conseguia fazer com que meu rosto não revelasse ao mundo coisa alguma, mas teria sido, naquelas circunstâncias, uma tensão adicional imensa ter de me preocupar com o rosto dela.

Na hora a que me refiro, a sra. Grose reunira-se comigo, sob pressão, no terraço, onde, com o avançado da estação, o sol vespertino já se tornava agradável; estávamos sentadas lado a lado enquanto, diante de nós, ao longe, porém ao alcance de nossas vozes se quiséssemos chamá-las, as crianças andavam de um lado para o outro num estado de espírito dos mais ordeiros. Iam devagar, juntas, abaixo de nós, no gramado, o menino, enquanto caminhavam, lendo em voz alta um livro de histórias, com o braço em torno da irmã para manter sua atenção. A sra. Grose as observava com uma placidez imperturbável; então percebi o rangido intelectual contido com que ela, consciensiosa, virou-se para mim no intuito de ouvir o que eu teria a lhe dizer sobre o reverso da tapeçaria. Era minha obrigação narrar-lhe acontecimentos sinistros, mas havia um curioso reconhecimento de minha superioridade — minhas realizações e minha função — na paciência com que ela enfrentava minha dor. Ela oferecia sua mente para minhas revelações tal como, se eu quisesse preparar uma poção de bruxa e propusesse tal coisa com determinação, teria me oferecido uma caçarola grande e limpa. Essa já se consolidara como sua atitude quando eu, ao relatar os eventos da noite anterior, cheguei ao momento de lhe contar o que Miles me disse quando, após vê-lo, numa hora tão monstruosa, quase no lugar exato em que estava agora, desci para fazê-lo entrar; optando então, ali à janela, para não alarmar toda a casa, por esse método em vez de emitir um sinal mais ressoante. Nesse ínterim, eu lhe deixara claro que não tinha muita esperança de conseguir transmitir com êxito nem mesmo a uma ouvinte tão receptiva quanto ela minha percepção do quanto fora esplêndida a pequena inspiração sob efeito da qual, tendo sido obrigado a voltar para dentro de casa, o menino respondeu a meu desafio final. Tão logo surgi à luz do luar no terraço, ele veio ter comigo o mais depressa possível; então tomei-o pela mão sem dizer palavra e fui conduzindo-o, atravessando os cômodos escuros, subindo a escada onde Quint o aguardara com uma ânsia faminta, atravessando o corredor em que eu ficara, trêmula, à escuta, até chegar ao quarto por ele abandonado.

Nenhuma sílaba fora dita por nós dois em todo o caminho, e eu ficara a me perguntar — ah, e *como*! — se ele não estaria dando tratos à bola, tentando encontrar uma explicação plausível que não fosse grotesca demais. Seus poderes de invenção seriam postos à prova, sem dúvida, e senti, dessa vez, diante de seu constrangimento palpável, um curioso frêmito de triunfo. Era uma armadilha e tanto para o inescrutável! Ele não poderia mais bancar o inocente; assim, como haveria de sair-se daquela enrascada? Ao mesmo tempo, pulsava em mim, com o latejar passional dessa pergunta, um apelo igualmente mudo a respeito de como *eu* haveria de sair-me dela. Eu me via por fim, como jamais antes, frente a frente com todo o risco associado a qualquer impulso de soar minha nota horrenda. Lembro que, quando entramos em seu quartinho, onde a cama ainda permanecia intacta e a janela, aberta para o luar, tornava o recinto tão iluminado que não havia necessidade de riscar um fósforo — lembro que de repente deixei-me cair sentada na beira da cama, impulsionada pela força da ideia de que o menino decerto teria consciência de que, na verdade, como se diz, ele me "pegara". Ele poderia fazer o que quisesse, com toda a sua esperteza para ajudá-lo, enquanto eu continuasse a respeitar a velha tradição segundo a qual constitui um crime, para quem cuida de crianças, alimentar-lhes as superstições e os medos. De fato, ele me "pegara", e numa forquilha; pois quem haveria de me absolver, quem não me condenaria à forca, se, da maneira mais trêmula e indireta, eu fosse a primeira a introduzir, nas nossas relações perfeitas, um elemento tão macabro? Não, não: era inútil tentar explicar à sra. Grose, como é quase igualmente inútil tentar exprimir aqui, como, no nosso rápido e tenso encontro na escuridão, ele me fez estremecer de admiração. Agi, é claro, da maneira mais bondosa e misericordiosa; nunca, nunca antes eu pousara em seus pequenos ombros mãos mais ternas do que aquelas com que, apoiada na cama, segurei-o e parti para o ataque. Não me restava outra coisa a fazer senão, ao menos para manter as aparências, fazer-lhe a pergunta.

"Você precisa me contar agora — contar toda a verdade. Por que você saiu? O que estava fazendo lá fora?"

Ainda vejo diante de mim seu sorriso maravilhoso, o branco de seus lindos olhos e os dentinhos à mostra, brilhando para mim na escuridão. "Se eu disser por quê, a senhora vai entender?" Meu coração, ao ouvir isso, saltou para a boca. Então ele me diria por quê? Não encontrei em meus lábios nenhum som com que insistir, e só sei que respondi com um sorriso vago, repetido, forçado. O menino era a delicadeza em pessoa, e enquanto eu balançava a cabeça ele parecia, mais do que nunca, um pequeno príncipe do mundo das fadas. Foi justamente sua atitude alegre que me aliviou. Ele estaria tão animado se fosse contar a verdade de fato? "Bem", ele disse por fim, "é exatamente para que a senhora faça isso."

"Faça o quê?"

"Veja-me — ao menos uma vez — como um menino *mau*!" Jamais esquecerei a doçura e alegria com que ele pronunciou a palavra, nem como, ainda por cima, debruçou-se sobre mim e beijou-me. Aquilo praticamente encerrava o assunto. Recebi seu beijo e fui obrigada a fazer, enquanto o abraçava, por um minuto, um esforço estupendo para não chorar. Ele me apresentara a resposta que me dava menos condições de insistir em saber o que ela ocultava, e foi apenas com o efeito de confirmar minha aceitação dela que, enquanto olhava para o quarto a minha volta, consegui dizer:

"Então você nem chegou a se despir?"

Ele quase brilhava na escuridão. "Não. Fiquei acordado, lendo."

"E quando foi que você desceu?"

"À meia-noite. Quando eu sou mau, eu sou mau *mesmo*!"

"Entendo, entendo — é encantador. Mas como você podia ter certeza de que eu ia descobrir?"

"Ah, eu combinei com a Flora." Suas respostas vinham-lhe tão prontamente! "Ela ficou de se levantar e olhar pela janela."

"E foi o que ela fez." Fora eu quem caíra na armadilha!

"Assim, ela perturbou a senhora, e, para ver o que ela estava olhando, a senhora olhou também — e viu."

"Enquanto você", concordei, "se expunha ao perigo de morrer de friagem no sereno!"

Ele regozijava-se de tal modo com sua travessura que podia dar-se ao luxo de assentir, radiante. "Senão eu não estaria sendo mau de verdade, não é?", indagou. Então, depois de mais um abraço, o incidente e a nossa conversa terminaram com meu reconhecimento de toda a reserva de bondade a que ele, para os fins de sua traquinada, pudera recorrer.

A impressão exata que eu tivera revelou-se, à luz da manhã, repito, não de todo passível de ser comunicada à sra. Grose, ainda que eu a reforçasse mencionando outro comentário feito por Miles antes de nos separarmos. "A coisa se resume a meia dúzia de palavras", eu disse a ela, "palavras que realmente resolvem a questão. 'Pense só no que eu *poderia* fazer!' Ele disse isso para me mostrar como é bonzinho. Ele sabe muito bem o que 'poderia' fazer. Foi o que ele demonstrou na escola."

"Meu Deus, como a senhora mudou!", exclamou minha amiga.

"Não mudei, apenas estou tirando conclusões. Os quatro, pode estar certa disso, se encontram o tempo todo. Se numa das duas últimas noites a senhora tivesse estado com uma das crianças, compreenderia perfeitamente. Quanto mais observo e espero, mais me convenço de que, mesmo se não houvesse outras provas, bastaria o silêncio sistemático das duas. *Jamais*, por acidente, elas fizeram qualquer alusão a seus velhos amigos, tal como Miles nunca mencionou sua expulsão. Claro, nós duas podemos ficar sentadas aqui olhando para elas e elas podem se exibir para nós até cansarem; mas enquanto fingem estar imersas no seu mundo de conto de fadas, na verdade estão mergulhadas numa visão dos mortos que voltaram ao mundo. O Miles não está lendo para a irmã", afirmei; "os dois estão conversando sobre *eles* — falando sobre horrores! Eu sei que pareço maluca dizendo o que digo, e não sei como ainda não enlouqueci. Se tivesse visto o que vi, *a senhora* teria enlouquecido; mas em mim o efeito foi me tornar ainda mais lúcida, perceber outras coisas."

Minha lucidez devia parecer terrível, mas as criaturas encantadoras que eram suas vítimas, andando de um lado para o outro, tão doces, de braços dados, proporcionavam à minha colega algo em que se apoiar; e percebi com que força ela se agarrava enquanto, sem se deixar abalar pelo ímpeto de minha paixão, continuava a segui-los com os olhos. "Que outras coisas a senhora percebeu?"

"Ora, as exatas coisas que sempre me deliciaram, fascinaram e no entanto, no fundo, como agora percebo, estranhamente, me deixavam perplexa e perturbada. A beleza celestial dos dois, sua bondade absolutamente antinatural. É um jogo", prossegui; "é uma tática, uma fraude!"

"Da parte dessas criancinhas queridas...?"

"Desses pequeninos tão lindos? Sim, por mais que pareça loucura!" O próprio ato de pôr em palavras me ajudava a compreender — a juntar as peças uma por uma e formar um todo. "Eles não são bons; são apenas ausentes. É fácil viver com eles, porque simplesmente levam uma vida que não é deles. Eles não são meus — não são nossos. São *dele*, e *dela*!"

"De Quint e daquela mulher?"

"De Quint e daquela mulher. Eles querem pegá-los."

Ah, como a pobre sra. Grose, ao ouvir isso, pareceu examiná-los! "Mas para quê?"

"Por amor a todo o mal que, naquele tempo horrível, os dois instilaram neles. E para continuar a insuflar-lhes aquele mal, para persistir em seu trabalho diabólico, é para isso que os dois voltam."

"Cruz-credo!", exclamou minha amiga em voz baixa. A exclamação era prosaica, porém revelava que ela aceitava deveras minhas provas adicionais do que, nos tempos ruins — pois houvera um tempo ainda pior que aquele! —, devia ter ocorrido. Não poderia haver para mim justificativa melhor da parte da sra. Grose do que aquela afirmação direta de sua experiência da depravação, fosse qual fosse, que me parecia concebível naquele casal de canalhas. Foi claramente após entregar-se a suas lembranças que ela acrescentou, após uma pausa: "Eles eram mesmo dois miseráveis! Mas o que é que podem fazer agora?", insistiu.

"Fazer?", repeti, tão alto que Miles e Flora, caminhando diante de nós a certa distância, pararam por um instante e olharam para nós. "Então o que já fazem não basta?", perguntei, em voz mais baixa, enquanto as crianças, tendo sorrido para nós, acenado e nos mandado beijos, recomeçavam sua exibição. Ficamos a apreciá-las por um minuto; depois respondi: "Podem destruí-las!". Ao ouvir isso, minha colega virou-se, mas a pergunta que ela fez foi silenciosa, e seu efeito foi levar-me a ser ainda mais explícita. "Eles não sabem, ainda, como — mas estão se esforçando. Só aparecem à distância, afastados — em lugares estranhos e elevados, no alto de torres, no telhado de casas, do lado de fora de janelas, do outro lado de lagos; mas há uma determinação profunda, em ambas as partes, de encurtar a distância e vencer o obstáculo; e o sucesso dos tentadores é apenas uma questão de tempo. Basta que continuem a fazer suas insinuações de perigo."

"Para que as crianças cheguem perto?"

"E morram na tentativa!" A sra. Grose levantou-se devagar, e acrescentei, escrupulosa: "A menos, é claro, que consigamos impedir!".

Parada à minha frente, enquanto eu permanecia sentada, ela claramente tentava pesar os fatos. "O tio delas é que deve impedir. Ele tem que levar essas crianças embora daqui."

"E quem vai convencê-lo?"

A sra. Grose olhava para a distância, mas nesse momento voltou para mim o rosto, com uma expressão néscia. "A senhora."

"Escrevendo-lhe uma carta dizendo que a casa está envenenada e que os sobrinhos dele estão loucos?"

"Mas e se eles *estiverem*?"

"E se *eu* estiver, é isso? Uma bela notícia a ser dada pela governanta cuja principal obrigação era não lhe levar preocupações."

A sra. Grose pensou, mais uma vez olhando para as crianças. "É verdade, ele detesta preocupação. Foi mais por causa disso..."

"Que aqueles demônios o enganaram por tanto tempo? Sem dúvida, se bem que a indiferença dele deve ter sido terrível. Como eu não sou um demônio, de qualquer modo, não conseguiria enganá-lo."

Minha colega, após um instante, à guisa de resposta, voltou a sentar-se e agarrou-me o braço. "Seja como for, dê um jeito de ele procurar a senhora."

Olhei-a fixamente. "Procurar a *mim*?" De súbito, temi o que ela pudesse vir a fazer. "'Ele'?"

"Ele devia estar aqui — devia ajudar."

Levantei-me mais que depressa, e creio que minha cara nunca esteve tão estranha. "A senhora acha que eu devia chamá-lo para vir nos visitar?" Não; olhando para mim, ela claramente não era capaz. Em vez disso, até mesmo ela — como uma mulher que compreende outra mulher — conseguia ver o que eu própria estava vendo: o deboche, o riso, o desprezo que ele manifestaria por eu não suportar ser deixada a sós, e pelo delicado mecanismo que eu pusera em movimento a fim de atrair sua atenção para meus encantos desprezados. A sra. Grose não sabia — ninguém sabia — o quanto eu me orgulhava de trabalhar para ele e cumprir o combinado; mesmo assim, ela compreendeu, creio, a ameaça que fiz em seguida. "Se a senhora perder a cabeça a ponto de apelar a ele por mim..."

Ela assustou-se deveras. "Sim?"

"Eu largaria na mesma hora os dois, ele e a senhora."

13

Juntar-me a eles não era problema, mas falar-lhes continuou a ser, como sempre, um empreendimento acima de minhas forças — envolvia, na proximidade, obstáculos tão intransponíveis quanto antes. Essa situação prolongou-se por um mês, e com novos agravantes e toques específicos; acima de tudo, cada vez mais intenso, o toque de uma leve consciência irônica da parte de meus pupilos. Não se tratava apenas, disso estou tão certa agora quanto estava na época, de minha infernal imaginação: era perfeitamente visível que eles estavam cientes do meu dilema e que essa estranha relação, de certo modo, constituía, por um bom tempo, a atmosfera em que vivíamos. Não quero dizer que eles fizessem caretas ou qualquer outra vulgaridade, pois esse não era um de seus perigos: quero dizer, sim, que o indizível e o intocável se tornaram, entre nós, os elementos mais presentes, e que tanta evasiva não poderia funcionar sem muitos entendimentos tácitos. Era como se, em certos momentos, nossos olhares encontrassem constantemente coisas que não podiam ser vistas, como se saíssemos de repente de becos que se revelavam sem saída, fechando com um pequeno estrépito que nos fazia entreolhar-nos — pois, como todos os estrépitos, era mais ruidoso do que fora nossa intenção — as portas que, por indiscrição, tínhamos aberto. Todos os caminhos levam a Roma, e havia ocasiões em que tínhamos a impressão de que quase todos os campos do saber e assuntos de conversação bordejavam territórios proibidos. Era território proibido a questão da volta dos mortos em geral e, em especial, do que quer que restasse, na memória, dos amigos que as crianças tinham perdido. Havia dias em que eu seria capaz de jurar que um deles, com uma pequena cutucada invisível, dissera ao outro: "Ela acha que vai conseguir desta vez — mas *não vai*!". "Conseguir", no caso, seria fazer uma referência direta, por exemplo — pela primeira vez, de certo modo —, à moça que os preparara para a minha disciplina. Os dois manifestavam um apetite insaciável e delicioso por passagens da minha própria história pessoal, com as quais eu os regalava vez após vez; estavam em posse de tudo que um dia já acontecera comigo, tinham ouvido, com todos os detalhes, a história de minhas menores aventuras, bem como as de meus irmãos e irmãs, e do cachorro e do gato lá de casa, e as muitas excentricidades de meu pai, e características da mobília e da rotina de nossa casa, e da conversa das velhas de nossa aldeia. Não faltavam coisas, juntando esta com aquela, de que falar à toa, indo a toda a velocidade e sabendo por instinto quando dar a volta. Eles puxavam com uma arte toda deles os cordéis de minha imaginação e de minha memória; e nenhuma outra coisa, talvez, quando depois eu relembrava tais ocasiões, proporcionava-me de tal modo a suspeita de estar sendo vigiada de um lugar secreto. Fosse como fosse, era sobre a *minha* vida, o *meu* passado e os *meus* amigos apenas que podíamos discorrer mais ou menos à vontade; um estado de coisas que os levava às vezes, sem a menor pertinência, a fazer-me pedidos afáveis. Convidavam-me — sem nenhuma conexão visível — a repetir de novo o célebre dito espirituoso de Goody Gosling ou a confirmar os detalhes já apresentados referentes à inteligência do pônei do vicariato.

Foi em parte por circunstâncias como essas, em parte por outras muito diversas, que, dada a situação instalada, meu dilema, para repetir o termo que já usei, tornou-se mais do que nunca palpável. O fato de que os dias se passavam sem que eu tivesse outro encontro deveria, é de se imaginar, ter tido algum efeito de tranquilizar meus nervos. Desde a breve visão, naquela segunda noite no patamar do alto da escada, da presença de uma mulher nos degraus inferiores, eu não vira mais nada, nem dentro nem fora de casa, que tivesse sido melhor não ver. Muitas vezes eu dobrava uma esquina na expectativa de me deparar com Quint, e havia muitas situações que, apenas pelo que continham de sinistro, pareciam favorecer a aparição da srta. Jessel. O verão atingira o auge e depois passara; o outono chegara a Bly e apagara metade de suas luzes. O lugar, com seu céu cinzento e grinaldas murchas, seus espaços esvaziados e folhas secas espalhadas, era como um teatro após o espetáculo — todo coberto de programas amassados. Havia no ar os exatos estados, condições de som e silêncio, impressões indizíveis da *espécie* de momento propício, que me traziam de volta à consciência, pelo tempo suficiente para que eu a apreendesse, a sensação do meio em que, naquela tarde de junho ao ar livre, pela primeira vez eu tivera uma visão de Quint, e em que, além disso, naqueles outros momentos, eu, tendo-o visto pela janela, procurei-o em vão entre os arbustos. Eu reconhecia os sinais, os presságios — reconhecia o momento, o local. Porém eles permaneciam desacompanhados e vazios, e eu continuava imperturbada; se é lícito qualificar de imperturbada uma jovem cuja sensibilidade havia, do modo mais extraordinário, não declinado, e sim se aprofundado. Eu dissera, em minha conversa com a sra. Grose sobre aquela cena horrenda com Flora à beira do lago — e a deixara perplexa por dizê-lo —, que a partir daquele momento me torturaria muito mais perder meus poderes do que conservá-los. Eu exprimira, naquela ocasião, o que estava mais vívido em minha mente: a verdade de que, quer as crianças vissem ou não — já que isso, na verdade, ainda não estava definitivamente provado —, eu preferia mil vezes, como salvaguarda, expor-me ao máximo. Já estava preparada para ficar sabendo do pior que havia a saber. Naquele momento, eu intuíra a nefasta possibilidade de que meus olhos estivessem fechados quando os das crianças estivessem mais abertos. Pois bem, tudo indicava que, naquele momento, meus olhos estavam mesmo fechados — e parecia uma blasfêmia não dar graças a Deus por tal circunstância. Infelizmente, porém, isso implicava um problema: eu agradeceria a Deus com toda a minha alma se não tivesse também, em grau proporcional, a convicção de que meus pupilos guardavam um segredo.

Como levantar hoje as estranhas etapas de minha obsessão? Havia momentos quando estávamos juntas em que eu teria sido capaz de jurar que, literalmente, na minha presença, mas sem que eu pudesse percebê-lo de modo direto, as crianças estavam recebendo visitas conhecidas e bem-vindas. Era em tais momentos que, se não me detivesse a possibilidade de que o dano que eu causaria poderia acabar sendo maior do que o que eu queria evitar, minha exaltação teria explodido. "Eles estão aqui, estão aqui, seus pequenos infelizes", eu exclamaria, "e vocês não têm como negar!" Os pequenos infelizes negavam com acúmulos de sociabilidade e ternura, precisamente nas profundezas cristalinas em que — como a visão súbita de um peixe num riacho — a zombaria de sua posição vantajosa lampejava. Fora, na verdade, mais profundo do que eu imaginava o choque que experimentei naquela noite em que, olhando pela janela esperando ver Quint ou a srta. Jessel à luz das estrelas, me deparei com o menino cujo sono eu julgava velar e que imediatamente exibiu — ali mesmo, naquele exato instante, para mim — o lindo olhar que, das ameias no alto da torre em que eu estava, a horrenda aparição de Quint havia profanado. Em matéria de susto, minha descoberta nessa ocasião me assustara mais do que qualquer outra, e foi no estado de nervos por ela produzida que fiz minhas induções. Elas de tal forma me atormentavam que por vezes, em uma ou outra ocasião, eu me fechava no quarto e ensaiava em voz alta — o que ao mesmo tempo me proporcionava um alívio fantástico e renovava meu desespero — a maneira como eu abriria o jogo. Eu abordava a questão de um lado e do outro enquanto andava à roda do quarto, mas sempre fraquejava no momento horroroso de enunciar os nomes. Enquanto os nomes morriam em meus lábios, eu dizia a mim mesma que sem dúvida os ajudaria a representar algo de infame neles se, ao pronunciá-los, violasse o que haveria de ser um dos mais raros casos de delicadeza instintiva já ocorridos numa sala de estudos. Quando dizia a mim mesma: "*Elas* têm modos o bastante para calar-se e você, em quem depositam tanta confiança, tem a vileza de falar!", sentia-me enrubescer e cobria o rosto com as mãos. Depois dessas cenas secretas, eu tagarelava mais do que nunca, falando do modo mais fluente até que ocorria um de nossos prodigiosos, palpáveis silêncios — não vejo que outro nome lhes dar —, uma estranha, estonteante ascensão ou submersão (tento encontrar a palavra certa!) na imobilidade, uma cessação de tudo que era vivo, que nada tinha a ver com o barulho maior ou menor que estivéssemos fazendo no momento, e que me chegava aos ouvidos apesar de qualquer fala animada, ou récita empolgada, ou acordes arrancados do piano. Era nesses momentos que os outros, os de fora, estavam presentes. Embora não fossem anjos, eles "passavam", como dizem os franceses, fazendo, enquanto estavam lá, com que eu tremesse de medo de que dirigissem a suas pequenas vítimas alguma mensagem infernal ou uma imagem vívida que julgassem boa demais para destinar a mim.

O mais impossível de tirar da cabeça era a ideia cruel de que, independentemente do que eu tivesse visto, Miles e Flora viam *mais* — coisas terríveis e inimagináveis, decorrentes daquele medonho passado de relações entre eles. Tais coisas, é claro, deixavam na superfície, por algum tempo, uma sensação gélida que veementemente negávamos sentir; e com a repetição nós todos, os três, adquirimos um treinamento tão esplêndido que a cada vez, de modo quase automático, para assinalar o fim do incidente, fazíamos exatamente os mesmos movimentos. Era surpreendente, ao menos, da parte das crianças, que elas me beijassem de modo persistente, com uma espécie de irrelevância louca, e sempre — ou o menino ou a menina — fizessem a pergunta preciosa que nos ajudava em tantas situações de perigo. "Quando a senhora acha que ele vem? A senhora não acha que a gente devia escrever?" — nada melhor do que esse tipo de pergunta, a experiência nos ensinou, para nos sustentar durante um instante de constrangimento. "Ele", naturalmente, era o tio das crianças, da Harley Street; e entre nós tinha largo curso a teoria segundo a qual ele poderia chegar a qualquer momento para juntar-se a nosso círculo. Teria sido impossível ele dar menos estímulo a tal doutrina, mas, se não a tivéssemos para nos dar apoio, não teríamos proporcionado um ao outro alguns de nossos desempenhos mais notáveis. Ele nunca escrevia para os sobrinhos — isso talvez fosse egoísmo de sua parte, mas era também uma maneira de me lisonjear, manifestando confiança em mim; pois o maior elogio que um homem pode fazer a uma mulher não raro é a celebração faustosa de uma das leis sagradas de seu conforto; e a meu ver eu estava agindo conforme o que fora acordado entre nós, no sentido de jamais recorrer a ele, quando dava a entender a meus pupilos que suas cartinhas não passavam de encantadores exercícios literários. Elas eram belas demais para serem postas no correio; eu as guardava; tenho-as todas até hoje. Isso era, de fato, uma regra que não fazia senão aumentar o efeito satírico das constantes evocações da possibilidade de que o tio poderia a qualquer momento estar entre nós. Era tal como se meus pupilos soubessem que para mim isso teria sido praticamente a coisa mais constrangedora que poderia ocorrer. Nada em toda essa situação, quando olho para trás, ademais, me parece tão extraordinário quanto o simples fato de que, apesar de minha tensão e do triunfo das crianças, jamais perdi a paciência com elas. Elas certamente terão sido muito adoráveis, reflito agora, para que eu, naquele momento, não as odiasse! Porém, será que a irritação, se o alívio fosse adiado por mais tempo, terminaria por me trair? Pouco importa, porque o alívio veio. Chamo-o de alívio, muito embora fosse apenas alívio causado pelo rompimento de um tecido esticado demais, ou pela eclosão de uma tempestade com raios e trovões num dia sufocante. Era ao menos uma mudança, e ocorreu de uma hora para a outra.

Caminhando para a igreja certa manhã de domingo, tinha eu o pequeno Miles a meu lado, e sua irmã, seguindo à frente de nós, ao lado da sra. Grose, bem à vista. Era um dia frio, de céu limpo, o primeiro dia assim havia algum tempo; a noite trouxera um pouco de geada, e o ar outonal, claro e pungente, tornava o som dos sinos da igreja quase alegre. Por um curioso acaso, naquele exato momento eu estava particularmente cônscia, e por isso me sentindo muito grata, da obediência de meus pequenos pupilos. Por que motivo eles jamais reclamavam da minha companhia inexorável, perpétua? Por algum motivo, eu me dera conta de que eu havia praticamente prendido o menino com um alfinete a meu xale, e que, a julgar pelo modo como nossas companheiras estavam alinhadas no caminho à minha frente, dir-se-ia que eu estava me precavendo contra o perigo de uma rebelião. Eu era como um carcereiro atento a possíveis surpresas e escapadelas. Mas tudo isso fazia parte — refiro-me à magnífica atitude de entrega das crianças — dos exatos fatos que eram mais abissais. Endomingado com roupas feitas pelo alfaiate do tio, o qual tivera carta branca, esmerara-se nos coletes e acentuara o porte altivo do menino, Miles exibia de tal modo seu direito à independência, os privilégios de seu sexo e de sua condição social que, se de repente tivesse corrido para a liberdade, eu não teria nada a dizer. Estava eu, por uma curiosíssima coincidência, me perguntando como reagiria quando a revolução, de modo inconfundível, se deu. Digo revolução porque vejo agora que, quando Miles falou, subiu a cortina do último ato de meu terrível drama e a catástrofe se precipitou. "Olhe, minha cara", disse ele, encantador, "me diga, por favor, quando é que vou voltar para a escola?"

Transcrita aqui, sua fala parece bem inofensiva, ainda mais tal como foi pronunciada, com a voz doce, aguda e desembaraçada por meio da qual, com qualquer interlocutor, mas acima de tudo com sua eterna governanta, ele lançava entonações como se espalhasse rosas. Havia nelas algo que sempre dava o que pensar, e a mim, nessa ocasião, tanto me foi dado que estaquei como se uma das árvores do parque tivesse caído no meio da estrada. Surgira alguma coisa nova, ali mesmo, entre nós, e ele tinha perfeita consciência de que eu reconhecia o fato, embora, para permitir que eu o fizesse, não lhe fosse necessário parecer nem um pouco menos lhano e encantador que de costume. Percebi que Miles, vendo que de saída não me ocorria nada para dizer em resposta, já se dava conta da vantagem que obtivera. Demorei tanto para encontrar o que dizer que lhe dei tempo para, após um minuto, prosseguir, com seu sorriso sugestivo, porém inconcluso: "A senhora entende, minha cara, para um rapaz, estar com uma senhora o tempo *todo*...!". Aquele "minha cara" estava sempre em seus lábios quando ele falava comigo, e nada poderia exprimir de modo mais exato o tom do sentimento que eu desejava inspirar em meus alunos do que esse tom de familiaridade carinhosa. Era respeitosamente fácil demais.

Mas, ah, como senti, naquele momento, que tinha de escolher bem as palavras! Lembro que, para ganhar tempo, tentei rir, e foi como se eu visse, no lindo rosto com que ele me observava, o quanto meu próprio rosto parecia estranho e feio. "E sempre com a mesma senhora?", indaguei.

Ele não hesitou nem piscou. Tudo estava praticamente escancarado entre nós. "Ah, claro que é uma senhora ótima, 'perfeita'; mas, afinal, eu sou um rapaz, não é? Que está... bem, crescendo."

Permaneci parada, com ele, por mais um instante, muito indulgente. "É, você está crescendo." Ah, mas como eu me sentia impotente!

Guardo até hoje a impressão devastadora de que ele sabia disso e aproveitava-se do fato. "E a senhora não pode dizer que eu não tenho sido muito bonzinho, não é?"

Pousei a mão em seu ombro, pois, embora sentisse que seria muito melhor continuar caminhando, eu ainda não era capaz de fazê-lo. "Não, não posso dizer isso, não, Miles."

"Tirando aquela única noite, não é?"

"Aquela única noite?" Eu não conseguia encará-lo tão diretamente quanto ele o fazia.

"Ora, aquela em que eu desci — saí de casa."

"Ah, é mesmo. Mas já não lembro por que você fez isso."

"Não lembra?" — ele falava com a doce extravagância de uma censura infantil. "Ora, foi para mostrar à senhora que eu podia!"

"Ah, sim, você podia."

"E posso outra vez."

Senti que talvez eu conseguisse, no final das contas, manter a cabeça no lugar. "Sem dúvida. Mas você não vai fazer isso."

"Não, não vou fazer *isso* de novo. Não foi nada."

"Não foi nada", repeti. "Mas precisamos seguir em frente."

Ele retomou a caminhada a meu lado, passando o braço pelo meu. "Então *quando* é que eu vou voltar?"

Ostentei, enquanto pensava na resposta que daria, minha expressão de responsabilidade máxima. "Você estava muito feliz na escola?"

Ele pensou só um pouco. "Ah, eu fico feliz em qualquer lugar!"

"Bem, nesse caso", gaguejei, "se você também está feliz aqui...!"

"Ah, mas isso não é tudo! É claro que *a senhora* sabe muita coisa..."

"Mas você dá a entender que sabe quase tanto quanto eu", arrisquei quando ele fez uma pausa.

"Nem metade do que eu queria saber!", Miles confessou com franqueza. "Mas não é só isso."

"Então o que é?"

"Bem... eu quero ver mais vida."

"Sei, sei." Já estava à nossa vista a igreja, e também várias pessoas, entre elas algumas que trabalhavam em Bly, que também iam ao culto e haviam se agrupado em torno da porta para nos ver entrar. Apressei o passo; queria chegar logo, antes que a questão entre nós se abrisse mais ainda; refleti, ávida, que, por mais de uma hora ele teria que se calar; e pensei, quase com inveja, na escuridão relativa do banco de igreja e na ajuda quase espiritual da almofada em que eu poderia me ajoelhar. Parecia-me estar literalmente disputando uma corrida com uma situação de confusão a que Miles estivesse prestes a me reduzir, porém senti que ele havia chegado em primeiro lugar quando, antes mesmo de entrarmos no pátio da igreja, ele saiu-se com esta:

"Quero gente como eu!"

O comentário me fez literalmente dar um salto para a frente. "Não há muita gente como você, Miles!", repliquei, rindo. "A não ser, talvez, a nossa querida Flora!"

"A senhora está mesmo me comparando com uma menininha?"

Esse comentário deixou-me curiosamente vulnerável. "Mas então você não *adora* a nossa querida Flora?"

"Se eu não a adorasse... e a senhora também; se eu não a adorasse...!", repetiu, como se recuando para dar um salto, deixando, porém, o pensamento de tal modo inconcluso que, depois que passamos pelo portão, uma outra parada, a qual ele me impôs apertando meu braço, se tornou inevitável. A sra. Grose e Flora já haviam entrado na igreja, os outros fiéis entraram também, e nós, por um minuto, ficamos a sós, entre as velhas sepulturas amontoadas. Havíamos parado, no caminho entre o portão e a entrada, junto a um túmulo baixo e retangular como uma mesa.

"Sim, se você não a adorasse...?"

Ele olhava, enquanto eu esperava, para as sepulturas a sua volta. "Bem, a senhora sabe!" Mas não se mexeu, e em seguida disse-me algo que me fez cair sentada na pedra, como se para descansar de súbito. "O meu tio pensa o mesmo que *a senhora*?"

Descansei visivelmente. "Como é que você sabe o que eu penso?"

"Ah, bem, é claro que eu não sei; pois imagino que a senhora nunca vai me dizer. Mas, sim, *ele* sabe?"

"Sabe do quê, Miles?"

"Ora, da vida que eu estou levando."

Percebi rapidamente que eu não podia dar, a essa pergunta, uma resposta que não comprometesse de algum modo meu empregador. No entanto, parecia-me que estávamos todos, em Bly, de tal modo comprometidos que isso seria um pecado venial. "Acho que seu tio não se importa muito com isso."

Miles, ao ouvir essas palavras, ficou olhando para mim. "Então a senhora não acha que é possível fazê-lo se importar?"

"De que modo?"

"Ora, ele vindo aqui."

"Mas quem é que vai fazê-lo vir aqui?"

"*Eu*!", exclamou o menino, com vivacidade e ênfase extraordinárias. Dirigiu-me outro olhar carregado dessa expressão e em seguida, com passos largos, entrou sozinho na igreja.

A questão ficou praticamente decidida a partir do momento em que não fui atrás dele. Era uma entrega lastimável ao nervosismo, mas a consciência desse fato por algum motivo não teve o poder de me reanimar. Permaneci sentada em meu túmulo, a extrair da fala de meu amiguinho a íntegra de seu significado; quando apreendi esse todo, assumi também, pela minha ausência, o pretexto de que estava com vergonha de dar a meus pupilos e ao resto da congregação tamanho exemplo de atraso. O que disse a mim mesma acima de tudo foi que Miles arrancara algo de mim, e que a prova disso, para ele, seria esse exato colapso constrangedor. Ele arrancara de mim o fato de que havia algo que eu temia muito e que ele provavelmente poderia utilizar meu medo a fim de obter, para seus próprios fins, mais liberdade. O que eu temia era ter de enfrentar a questão insuportável dos motivos que o levaram a ser expulso da escola, pois essa questão não era outra que não a dos horrores do passado. A hipótese da vinda de seu tio para abordar comigo esses fatos era uma solução que, a rigor, eu deveria desejar que se concretizasse; mas era-me tão difícil encarar o horror e o sofrimento disso que me limitei a procrastinar e a viver de momento a momento. O menino, para minha profunda angústia, estava coberto de razão, podendo muito bem me dizer: "Se a senhora não esclarecer com meu responsável esse mistério da interrupção de meus estudos, não vou mais continuar a viver a seu lado uma vida tão antinatural para um rapaz". O que era tão antinatural para o rapaz em questão era essa súbita revelação de uma consciência e um plano.

Foi isso o que de fato me sobrepujou, o que me impediu de entrar. Fiquei a andar em torno da igreja, hesitando, titubeando; refleti que com Miles eu já me prejudicara de modo irreparável. Assim, não havia o que consertar, e seria um esforço excessivo apertar-me a seu lado no banco da igreja: mais do que nunca, era certo que o menino me daria o braço e me faria ficar sentada ali por uma hora, em contato íntimo e silencioso com o que ele me dissera em nossa conversa. Pela primeira vez desde que Miles chegara, eu queria afastar-me dele. Parada junto à janela alta da parede leste da igreja, a escutar os sons do culto, fui tomada por um impulso que, segundo me pareceu, era bem capaz de me dominar por completo, se eu cedesse a ele por pouco que fosse. Eu podia dar fim a meu dilema com facilidade; era só ir embora. Ali estava minha oportunidade; não havia ninguém que me impedisse; eu podia desistir de tudo — virar-me e bater em retirada. Era apenas uma questão de voltar depressa, a fim de fazer uns poucos preparativos, para casa, a qual, por tantos dos criados estarem na igreja, estaria praticamente vazia. Ninguém, em suma, me recriminaria se eu simplesmente fosse embora em desespero. O que seria ir embora se eu me fosse apenas até o jantar? Para tal, faltavam cerca de duas horas, no final das quais — eu previa com segurança — meus pequenos pupilos demonstrariam uma inocente perplexidade diante de meu desaparecimento.

"*Por que* a senhora fez uma coisa tão má, tão feia? Por quê, para nos preocupar tanto — e nos despistar também, não é? — a senhora nos abandonou bem à porta?" Eu não conseguiria enfrentar tais perguntas, tampouco seus olhinhos tão belos e falsos enquanto eles as formulassem; no entanto, estava de tal modo claro que eu teria que encarar precisamente isso que, à medida que a possibilidade foi se tornando mais nítida para mim, por fim me afastei.

Assim, no que dizia respeito ao momento imediato, de fato fui embora; saí do cemitério que circundava a igreja e, raciocinando intensamente, voltei em direção à casa, atravessando o parque. Senti-me, quando cheguei, realmente decidida a fugir. O silêncio dominical, tanto nos acessos à casa quanto em seu interior, onde não encontrei ninguém, despertou em mim a consciência de uma oportunidade. Se conseguisse ir embora depressa, assim, eu partiria sem nenhuma cena, sem nenhuma palavra. Minha rapidez, porém, teria que ser notável, e a questão do meio de transporte era o grande problema a resolver. Atormentada, no vestíbulo, com as dificuldades e os obstáculos, lembro que me sentei ao pé da escada — subitamente desabei no primeiro degrau, e então, com uma sensação de repulsa, dei-me conta de que fora aquele o lugar exato onde, mais de um mês antes, na escuridão da noite, e tão avassalada quanto naquele instante por coisas malévolas, eu vira o espectro da mais horrível das mulheres. Esse pensamento me deu forças para aprumar-me; subi a escada; fui, em minha confusão, até a sala de estudos, onde havia pertences meus que eu teria que levar. Porém, quando abri a porta, constatei de novo, num relance, que meus olhos estavam abertos. Na presença do que vi, fui obrigada a retomar minha atitude de resistência.

Vi, sentada à minha mesa, à luz límpida do meio-dia, uma pessoa que, não fosse minha experiência anterior, eu teria tomado de início por alguma criada que houvesse ficado para cuidar da casa e que, valendo-se de uma rara oportunidade em que não estava sendo observada e da mesa da sala de estudos, com minhas penas, tinta e papel à sua disposição, tivesse empreendido o esforço considerável de redigir uma carta ao namorado. Havia um esforço no modo como, os braços apoiados na mesa, as mãos, com um cansaço evidente, sustentavam a cabeça; mas no momento em que percebi esse pormenor, eu já me dera conta de que, apesar de minha entrada, sua atitude persistia, inexplicavelmente. Foi então — no exato momento em que se anunciou — que sua identidade se impôs com uma mudança de postura. Ela levantou-se, não como se tivesse me ouvido, mas com uma indescritível melancolia imponente de indiferença e distanciamento, e, a pouco mais de dez metros de mim, lá estava minha desprezível predecessora. Desonrada e trágica, oferecia-se por inteiro a minha vista; mas enquanto eu a olhava e a retinha na memória, a imagem horrenda se desvaneceu. Escura como a meia-noite, com seu vestido negro, sua beleza mórbida e sua dor inexprimível, ela me olhara tempo suficiente para parecer dizer que seu direito de sentar-se a minha mesa era o mesmo que tinha eu de me sentar à dela. De fato, enquanto perduraram esses instantes, dominou-me a sensação extraordinariamente gélida de que era eu a intrusa. Foi como um protesto irreprimível a essa sensação que, dirigindo-me a ela — "Sua mulher terrível, infeliz!" —, ouvi minha própria voz emitir um som que, pela porta aberta, ressoou por todo o longo corredor e a casa vazia. Ela olhou-me como se me ouvisse, mas eu já havia me recuperado e limpado o ar. Não havia nada na sala no instante seguinte senão a luz do sol e a consciência de que eu tinha de ficar.

Tão convicta estava eu de que meus pupilos haveriam de se manifestar ao voltar, que foi para mim outro abalo constatar que eles nada disseram sobre minha ausência. Em vez de me denunciar alegremente e me acariciar, não fizeram nenhuma alusão ao fato de que eu os abandonara, e assim me vi limitada, por algum tempo, percebendo que também ela nada dizia, a examinar o rosto estranho da sra. Grose. Pus tanto empenho nisso que me convenci de que as crianças de algum modo haviam comprado o silêncio dela; um silêncio que, no entanto, eu tentaria vencer tão logo tivesse a primeira oportunidade de estar a sós com ela. Essa oportunidade surgiu antes da hora do chá: consegui cinco minutos com minha colega no quarto da caseira, onde, ao entardecer, em meio ao cheiro de pão recém-assado, mas estando o recinto varrido e enfeitado, encontrei-a sentada, numa placidez tensa, diante do fogo. É como a vejo ainda, é como a vejo melhor: voltada para as chamas, instalada numa cadeira de espaldar reto no quarto penumbroso e reluzente, uma imagem grande e limpa do conceito de "arrumação" — de gavetas fechadas e trancadas e descanso sem remédio.

"Isso mesmo, elas me pediram para não dizer nada; e para agradá-las — enquanto elas estavam presentes — é claro que prometi. Mas o que aconteceu com a senhora?"

"Só fui com vocês pela caminhada", respondi. "Depois eu tinha que voltar para me encontrar com uma amiga."

Ela demonstrou surpresa. "Uma amiga — *a senhora*?"

"Ah, sim, eu tenho uma ou duas!", retruquei, rindo. "Mas as crianças lhe deram um motivo?"

"Para que eu não perguntasse por que a senhora nos deixou? Sim; disseram que a senhora ia preferir assim. E prefere mesmo?"

Meu rosto deixara-a triste. "Não, de modo algum!" Mas após um instante acrescentei: "Elas disseram por que eu preferia assim?".

"Não; o Miles disse 'A gente só deve fazer o que ela gosta!'."

"Quem dera! E o que disse a Flora?"

"A Flora foi um amor. Disse 'Claro, claro!' — e eu disse o mesmo."

Pensei por um momento. "A senhora também foi um amor — posso imaginar todos vocês dizendo isso. Mas, seja como for, o fato é que, entre o Miles e mim, a coisa está escancarada."

"Escancarada?" Minha colega arregalou os olhos. "Mas o quê?"

"Tudo. Não importa. Estou decidida. Voltei para casa, minha cara", prossegui, "para ter uma conversa com a srta. Jessel."

A essa altura, eu já adquirira o hábito de ter a sra. Grose literalmente sob controle antes de entrar em tais assuntos; assim, mesmo agora, enquanto ela piscava, mantendo a calma, sob o sinal de minha palavra, consegui mantê-la relativamente firme. "Uma conversa! Quer dizer que ela falou?"

"A coisa chegou a isso. Encontrei-a, quando voltei, na sala de estudos."

"E o que foi que ela disse?" Ainda ouço a voz da pobre mulher e a sinceridade de sua estupefação.

"Que ela sofre os tormentos...!"

Foi isso, na verdade, que a fez, à medida que foi formando a imagem, ficar boquiaberta. "A senhora quer dizer", ela gaguejou, "... dos perdidos?"

"Dos perdidos. Dos danados. E é por isso, para compartilhá-los..." Eu própria gaguejei, horrorizada.

Mas minha colega, dotada de menos imaginação, insistiu. "Compartilhá-los...?"

"Ela quer a Flora." A sra. Grose poderia, no momento em que lhe disse isso, praticamente ter se desprendido de mim se eu não estivesse preparada. Continuei a prendê-la, para mostrar que estava. "Como lhe disse, porém, isso não importa."

"Porque a senhora está decidida? Mas a fazer o quê?"

"Tudo."

"E o que a senhora chama de 'tudo'?"

"Ora, chamar o tio delas."

"Ah, faça isso, sim, por tudo que há", minha amiga exclamou.

"É o que vou fazer, sim, ah se vou! Não vejo outra saída. O que está 'escancarado', como lhe disse, com o Miles é que se ele acha que eu tenho medo de fazê-lo — e imagina que vai ganhar alguma coisa com isso — ele vai ver que está enganado. Sim, sim; vou dizer ao tio dele aqui mesmo (e diante do próprio Miles se necessário), que se me criticam por não ter feito nada a respeito da escola..."

"Sim, sim...", minha amiga insistiu.

"Pois bem, e ainda há aquele motivo terrível."

Havia, claramente, tantos motivos terríveis para minha pobre colega que era compreensível ela não conseguir se expressar claramente. "Mas... ah... qual?"

"Ora, a carta da antiga escola."

"A senhora vai mostrá-la ao patrão?"

"Eu devia ter feito isso na hora."

"Ah, não!", disse a sra. Grose, decidida.

"Vou deixar bem claro para ele", prossegui, inexorável, "que não posso tentar resolver essa questão para uma criança que foi expulsa..."

"Por um motivo que a gente nem imagina qual seja!", afirmou a sra. Grose.

"Por maldade. Que outra coisa poderia ser, se ele é tão inteligente, bonito e perfeito? Será que é obtuso? Sujo? Doente? Malcriado? Ele é extraordinário — então só pode ser *isso*; e daí toda a história vem à tona. Afinal de contas", prossegui, "a culpa é do tio. Se ele deixou aqui aquele tipo de gente...!"

"Ele na verdade não os conhecia nem um pouco. A culpa é minha." Ela estava um tanto pálida.

"Bem, não vai ser a senhora quem vai sofrer", respondi.

"Nem as crianças!", ela retrucou, enfática.

Permaneci em silêncio por algum tempo; trocamos um olhar. "Então o que eu digo a ele?"

"A senhora não precisa dizer nada. *Eu* falo com ele."

Pensei um pouco. "A senhora quer dizer que vai escrever...?" Lembrei que ela não sabia escrever e interrompi-me. "Como vocês se comunicam?"

"Eu falo para o meirinho. *Ele* escreve."

"E a senhora gostaria que ele escrevesse a nossa história?"

Minha pergunta saiu com uma força sarcástica que não era de todo intencional e fez com que ela, após um instante, do modo mais inconsequente, perdesse o controle. Surgiram lágrimas em seus olhos outra vez. "Ah, escreva *a senhora*!"

"Sim — esta noite", respondi por fim; e em seguida nos separamos.

Naquela noite, cheguei até a começar. O tempo havia fechado, ventava muito lá fora, e à luz do lampião, em meu quarto, com Flora tranquila a meu lado, fiquei um bom tempo sentada diante de uma folha de papel em branco escutando o látego da chuva e as lufadas de vento. Por fim saí, levando uma vela; atravessei o corredor e fiquei por um minuto à escuta, diante da porta de Miles. O que, movida por minha obsessão infindável, eu fora impelida a tentar ouvir era algum sinal de que ele não estava descansando, e em pouco tempo captei um tal sinal, mas não do modo que eu esperava. Sua voz cristalina soou. "Quem está aí — entre." Era um toque de alegria na escuridão!
    Entrei com minha vela e encontrei-o, na cama, acordadíssimo, mas muito à vontade. "Então, o que é que *a senhora* está tramando?", perguntou, com uma sociabilidade graciosa a qual me fez pensar que a sra. Grose, se estivesse presente, teria procurado em vão por algum sinal de que a coisa estivesse "escancarada".
    Parei ao lado da cama com minha vela. "Como você sabia que eu estava lá fora?"
    "Ora, porque ouvi a senhora, é claro. Pensa que não fez barulho nenhum? Pois parecia uma tropa de cavalaria!", disse com um belo riso.
    "Então você não estava dormindo?"

"Nem um pouco! Eu fico deitado, pensando."

Eu colocara minha vela, de propósito, a pouca distância dali, e depois, enquanto ele me estendia a mão simpática de sempre, sentara-me na beira da cama. "Em que", perguntei, "você fica pensando?"

"Que outra coisa, minha cara, senão *na senhora*?"

"Ah, me orgulho de saber que você gosta de mim, mas não chego a exigir isso! Preferia que você dormisse."

"É, mas eu fico pensando, sabe, nessa nossa história estranha."

Senti a frieza de sua mãozinha firme. "Que história estranha, Miles?"

"Ora, a maneira como a senhora me cria. E tudo o mais!"

Praticamente prendi a respiração por um minuto, e mesmo à luz de minha vela dava para ver que ele sorria para mim do travesseiro. "O que você quer dizer com tudo o mais?"

"Ah, a senhora sabe, a senhora sabe!"

Por um minuto não consegui dizer nada, embora sentisse, enquanto lhe segurava a mão e continuávamos a nos entreolhar, que meu silêncio tinha toda a aparência de admitir sua acusação, e que nada em todo o mundo da realidade era talvez, naquele momento, tão fabuloso quanto a relação entre nós. "É claro que você vai voltar para a escola", disse eu, "se é isso que preocupa você. Mas não para a sua escola antiga — precisamos encontrar outra, uma melhor. Como eu podia saber que isso o preocupa, essa questão, se você nunca me disse nada, nunca tocou no assunto?" Seu rosto límpido e atento, emoldurado pela brancura lisa da fronha, por um minuto tornou-o tão atraente quanto um paciente tristonho num hospital para crianças; e eu teria dado, ao tomar consciência dessa semelhança, tudo que possuía na terra para ser a enfermeira ou a irmã de caridade capaz de ajudá-lo a se restabelecer. Bem, até mesmo sendo as coisas como eram, talvez eu pudesse ajudar! "Sabe que você nunca me disse nem uma palavra sobre a sua escola — quer dizer, a antiga; nunca a mencionou em nenhum momento?"

Ele parecia pensar; sorria o mesmo sorriso lindo. Mas claramente estava ganhando tempo; esperava, pedia uma orientação. "Eu não disse nada?" Não seria *eu* quem o ajudaria — e sim a coisa com que eu me deparara!

Algo em sua voz e na expressão de seu rosto, quando arranquei dele esta resposta, causou-me uma pontada de dor no coração tal qual eu jamais sentira; era indizivelmente tocante ver seu pequeno cérebro perplexo e seus parcos recursos esgotados na tentativa de representar, sob o efeito do encantamento que fora lançado sobre ele, um papel de inocência e coerência. "Não, nunca — desde o momento em que você chegou. Nunca me falou de nenhum de seus professores, de seus colegas, nem me contou absolutamente nada que tivesse acontecido com você na escola. Você nunca, meu pequeno Miles — nunca, mesmo —, me deu a mais remota ideia do que *pode* ter acontecido lá. Assim, pode imaginar o quanto estou no escuro. Até você se abrir, daquele jeito, hoje de manhã, desde a primeira vez que o vi, você não fez a menor referência a nada de sua vida anterior. Você parecia aceitar o presente com perfeição." Era extraordinário ver o quanto minha absoluta convicção de sua secreta precocidade (ou seja lá que nome eu possa dar ao veneno de uma influência a que só me era dado aludir de modo indireto) fazia-o, apesar do leve indício de sua perturbação interior, parecer uma pessoa mais velha — fazia-o impor-se quase como alguém intelectualmente à minha altura. "Eu pensava que você queria continuar como estava."

Tive a impressão de que, ao ouvir isso, ele corou muito de leve. Esboçou, ao menos, como um convalescente um pouco cansado, o gesto lânguido de balançar a cabeça. "Não quero — não quero. Eu quero ir embora."

"Você está enjoado de Bly?"

"Não, não, eu gosto daqui."

"Mas então...?"

"Ah, a senhora *sabe* o que um garoto quer!"

Senti que não sabia tão bem quanto ele, e encontrei um refúgio temporário. "Você quer morar com seu tio?"

Novamente, ao ouvir isso, com seu rostinho doce e irônico, fez um movimento no travesseiro. "Ah, a senhora não vai se safar assim!"

Fiquei calada por alguns instantes, e fui eu, dessa vez, creio, quem corou. "Meu querido, não quero me safar!"

"A senhora não pode, mesmo se quiser. Não pode, não pode!" — ele olhava para mim com seu rostinho lindo. "Meu tio tem que vir aqui, para vocês resolverem as coisas completamente."

"Se fizermos isso", retruquei com certo ânimo, "pode ter certeza de que vai ser para levar você embora daqui!"

"Mas a senhora não vê que é justamente isso que estou tentando fazer? A senhora vai ter que contar a ele... que a senhora deixou cair tudo: vai ter que contar a ele muita coisa!"

O entusiasmo com que fez essa afirmação ajudou-me um tanto, por alguns momentos, a enfrentá-lo com bem mais firmeza. "E o que você, Miles, vai ter a dizer a seu tio? Há certas coisas que ele vai lhe perguntar!"

Ele pensou um pouco. "É bem provável. Mas que coisas?"

"As coisas que você nunca me contou. Para ele poder decidir o que fazer com você. Ele não pode mandá--lo de volta..."

"Ah, eu não quero voltar!", ele interrompeu. "Quero um ambiente novo."

Disse isso com uma serenidade admirável, com uma alegria irrepreochável; e sem dúvida foi precisamente esse tom que mais evocou em mim o que havia de pungente, de tragédia infantil antinatural, em sua provável reaparição, ao final de três meses, com todas essas bravatas e mais desonra ainda. Fui dominada pelo sentimento de que jamais seria capaz de enfrentar tal cena, e deixei-me levar. Lancei-me sobre ele e, na ternura de minha compaixão, abracei-o. "Meu menino querido, meu menino querido...!"

Meu rosto estava próximo ao dele, e ele deixou-me beijá-lo, aceitando-o simplesmente com uma indulgência bem-humorada. "E então, minha velha?"

"Não há nada — absolutamente nada — que você queira me contar?"

Ele virou-se um pouco, encarando a parede e levantando a mão para olhá-la, como fazem as crianças doentes. "Eu já lhe disse... já lhe disse hoje de manhã."

Ah, como me apiedei dele! "Que você só queria que eu não o preocupasse?"

Ele voltou a olhar para mim, como se em reconhecimento de minha compreensão; então respondeu, com muita doçura: "Que me deixasse em paz".

Havia até uma curiosa dignidadezinha em sua atitude, algo que me fez soltá-lo, e no entanto, após me levantar lentamente, permaneci a seu lado. Deus sabe que não tive nenhuma intenção de atormentá-lo, porém senti apenas que, diante disso, dar-lhe as costas seria abandoná-lo ou, mais exatamente, perdê-lo. "Comecei a escrever uma carta para seu tio", disse eu.

"Então acabe de escrever!"

Esperei um minuto. "O que aconteceu antes?"

Ele olhou-me outra vez. "Antes do quê?"

"Antes de você voltar. E antes de você ir embora."

Por algum tempo ele permaneceu em silêncio, porém continuou a olhar-me nos olhos. "O que aconteceu?"

Essa frase, o som das palavras, em que julguei captar pela primeira vez um mínimo tremor de consciência anuente — isso me fez cair de joelhos junto à cama e agarrar mais uma vez a oportunidade de apossar-me dele. "Meu menino querido, meu menino querido, se você *soubesse* o quanto eu quero ajudá-lo! É só isso, mais nada além disso, e eu preferia morrer a lhe causar alguma dor ou cometer uma injustiça com você — antes morrer a machucar um fio de seu cabelo. Meu menino querido" — ah, e acabei dizendo, mesmo que isso fosse ir longe demais — "eu só queria que você me ajudasse a salvá-lo!" Mas no instante seguinte me dei conta de que fora longe demais. A resposta a meu apelo foi instantânea, mas veio sob a forma de um extraordinário estrondo e uma onda de frio, uma lufada de ar gélido e um estremecimento do quarto como se, no vento feroz, o caixilho da janela tivesse se fechado de repente. O menino soltou um grito alto, agudo, o qual, perdido no meio do som impactante, poderia muito bem ser, embora eu estivesse tão perto dele, tanto uma explosão de júbilo quanto de terror. Levantei-me de um salto outra vez e me dei conta da escuridão. Ficamos assim por um momento, enquanto eu olhava a minha volta e verificava que as cortinas fechadas estavam imóveis e a janela bem fechada. "Ora, a vela apagou-se!", exclamei então.

"Fui eu que soprei, minha cara!", disse Miles.

No dia seguinte, depois das aulas, a sra. Grose encontrou uma oportunidade de me perguntar discretamente: "A senhora escreveu?".

"Escrevi, sim." Não acrescentei, porém — por ora — que minha carta, já no envelope fechado e endereçado, continuava em meu bolso. Haveria tempo suficiente para despachá-la antes que o mensageiro fosse à aldeia. Nesse ínterim, da parte dos meus pupilos, nunca antes houvera uma manhã tão brilhante e exemplar quanto aquela. Era tal como se os dois tivessem se empenhado para desfazer qualquer pequeno atrito recente. Eles realizaram os mais estonteantes prodígios de aritmética, ultrapassando em muito meus estreitos limites, e perpetrando, com uma hilaridade inaudita, chistes geográficos e históricos. Estava particularmente óbvio que Miles, é claro, parecia querer demonstrar como era fácil para ele me decepcionar. Esse menino, em minha memória, vive num ambiente de beleza e infelicidade que não pode ser expresso em palavras; havia uma distinção toda sua em cada impulso que ele revelava; nenhuma criaturinha natural, que para o olho incauto era toda franqueza e liberdade, jamais conseguiu ser um pequeno cavalheiro tão engenhoso, tão extraordinário. Eu precisava ficar o tempo todo alerta para não cair na contemplação deslumbrada em que minha visão iniciada me fazia resvalar; conter o olhar irrelevante e o sorriso desanimado com que eu constantemente atacava e abandonava o enigma do que um pequeno cavalheiro como aquele poderia ter feito para merecer castigo. Dir-se-ia que, através do negro prodígio do qual eu tinha conhecimento, a imaginação de todo o mal se abrira deveras para ele: todo o meu senso de justiça ansiava por uma prova de que esse mal tinha florescido em forma de ato.

Miles, fosse como fosse, jamais encarnara com tamanha perfeição o pequeno cavalheiro quanto no momento em que, após almoçarmos cedo neste dia terrível, me procurou e me perguntou se eu não gostaria que ele, por meia hora, tocasse para mim. Davi, ao tocar para Saul, não poderia ter demonstrado um mais sutil senso de oportunidade. Foi literalmente uma encantadora exibição de tato e magnanimidade, foi tal como se ele dissesse com todas as letras: "Os verdadeiros cavaleiros dos livros que tanto gostamos de ler nunca se aproveitam demais de suas vantagens. Sei o que a senhora pretende agora: para que a deixem sozinha e não fiquem a segui-la, a senhora vai parar de se preocupar comigo e me espionar, não vai me manter tão perto de si, vai deixar-me ir e vir. Pois bem, eu vim, como a senhora vê, mas não vou! Para isso haverá muito tempo. Eu realmente gosto muito da sua companhia e só quero lhe mostrar que estava insistindo por uma questão de princípio". Pode-se imaginar se consegui resistir a esse apelo ou se deixei de acompanhá-lo outra vez, de mãos dadas, até a sala de estudos. Ele sentou-se ao velho piano e tocou como jamais tocara; e se há quem julgue que teria sido melhor para ele estar jogando bola, só posso dizer que estou de pleno acordo. Pois após uma extensão de tempo que, sob sua influência, eu havia parado de medir, levantei-me de súbito com a estranha sensação de ter literalmente dormido em meu posto. Foi depois do almoço, ao pé da lareira da sala de estudos, e no entanto eu, na verdade, não dormira nem um pouco: apenas fizera coisa muito pior — esquecera. Onde, esse tempo todo, estava Flora? Quando dirigi a pergunta a Miles, ele continuou a tocar por um minuto antes de responder, e depois não pôde dizer outra coisa que não: "Ora, minha cara, como é que *eu* vou saber?", emendando um riso alegre, o qual, de imediato, como se fosse um acompanhamento vocal, ele prolongou numa canção incoerente e extravagante.

Fui direto a meu quarto, mas sua irmã não estava lá; então, antes de descer, procurei em vários outros cômodos. Como ela não se encontrava em parte alguma, decerto haveria de estar com a sra. Grose, e, guiada por essa teoria, saí a procurar minha colega. Encontrei-a no lugar onde faláramos na véspera, mas ela reagiu a minha rápida pergunta com uma ignorância estupefata e assustada. Ela apenas imaginara que, após a refeição, eu levara comigo as duas crianças; e sobre isso tinha toda a razão, pois fora essa a primeira vez que eu deixara a menininha sair de perto de mim sem que nada tivesse sido combinado. É claro que ela podia estar com as empregadas, e assim a melhor medida a tomar de imediato era procurá-la sem fazer alarde. Foi o que decidimos fazer; mas quando, dez minutos depois, conforme o acordado, nos encontramos no corredor, ambas relatamos que, após discretas investigações, não havíamos conseguido localizá-la. Por um minuto, além de observações, trocamos manifestações mútuas de preocupação, e senti com que interesse minha amiga retribuiu todas as que eu lhe fizera anteriormente.

"Ela há de estar lá em cima", disse a sra. Grose depois de algum tempo, "num dos quartos onde a senhora não olhou."

"Não; ela está longe daqui." Eu já não tinha dúvida. "Ela saiu."

A sra. Grose olhou-me fixamente. "Sem chapéu?"

Eu, é claro, devolvi-lhe um olhar que deixava entrever muito. "Aquela mulher também não anda sempre sem?"

"Ela está com *ela*?"

"Ela está com *ela*!", afirmei. "Temos que encontrá-las."

Minha mão estava pousada no braço de minha amiga, mas por um momento, diante de tal explanação do estado de coisas, ela não reagiu a minha pressão. Pelo contrário, entregou-se, ali mesmo, a sua consternação. "E onde está o Miles?".

"Ah, ele está com o Quint. Estão na sala de estudos."

"Meu Deus!" Minha visão da situação, eu mesmo me dava conta disso — e portanto também meu tom de voz —, nunca havia atingido tal nível de convicção tranquila.

"A trama deu certo", prossegui; "eles conseguiram realizar o plano. O Miles encontrou uma maneira divina de me distrair enquanto a irmã saía."

"'Divina'?", ecoou a sra. Grose, perplexa.

"Infernal, então!", retruquei, quase alegre. "Ele também pensou em si próprio. Mas vamos!"

Ela olhava com desânimo para as regiões superiores. "A senhora vai deixá-lo..."

"Esse tempo todo com o Quint? Sim — isso já não me importa."

Ela sempre terminava, nesses momentos, apossando-se de minha mão, e desse modo podia ainda deter-me. Mas após arquejar por um instante, em face de minha súbita resignação, indagou, ansiosa: "Por causa da sua carta?".

Rapidamente, à guisa de resposta, tateei a carta no bolso, retirei-a, mostrei-a e então, livrando o braço, larguei-a na mesa do salão principal. "O Luke vai levá-la", disse ao voltar. Fui até a porta da frente e abri-a; eu já estava na escada.

Minha colega ainda hesitava: a tempestade da noite e da madrugada havia cessado, mas a tarde estava úmida e cinzenta. Fui descendo o caminho enquanto ela permanecia parada à porta. "A senhora vai mesmo sem chapéu?"

"O que importa, se a menina não tem nada? Não posso perder tempo me vestindo", exclamei, "e se a senhora tem de se vestir, não vou esperá-la. Enquanto isso, tente ir lá para cima."

"Com eles?" Ah, diante de tal perspectiva, a pobre mulher imediatamente juntou-se a mim!

Fomos direto ao lago, como ele era chamado em Bly, e creio que corretamente, embora me ocorra que na verdade talvez fosse um espelho d'água menos notável do que parecia ser a meus olhos pouco viajados. Meu conhecimento de espelhos d'água era parco, e o laguinho ornamental de Bly, ao menos nas poucas ocasiões em que me permiti, sob a proteção de meus pupilos, desafiar sua superfície na chata que lá ficava atracada para nosso uso, impressionara-me tanto por sua extensão quanto por sua agitação. O embarcadouro usual ficava a menos de um quilômetro, mas eu tinha a convicção íntima de que Flora, onde quer que estivesse, não estaria perto de casa. Ela não escapulira de mim para uma aventurazinha qualquer, e desde o dia da tremenda aventura que tivéramos juntas à beira do lago eu sentia, em nossas caminhadas, aonde ela mais se inclinava a ir. Por isso eu dava agora aos passos da sra. Grose uma direção tão determinada — uma direção que a fez, quando ela a percebeu, opor-lhe uma resistência que me possibilitou ver o quanto mais uma vez ela estava perplexa. "A senhora vai ao lago? Acha que ela está *dentro*...?"

"Pode estar, embora a profundidade, creio, não seja muito grande em nenhum ponto. Mas julgo mais provável que ela esteja no lugar em que, no outro dia, vimos juntas o que contei à senhora."

"Quando ela fingiu não ver...?"

"Com aquele autocontrole espantoso! Sempre tive certeza de que ela queria voltar sozinha. E agora o irmão lhe deu uma oportunidade."

A sra. Grose continuava parada no mesmo lugar. "A senhora acha que as crianças falam mesmo sobre eles?"

Com que confiança pude responder! "Elas dizem coisas que, se ouvíssemos, ficaríamos simplesmente horrorizadas."

"E se ela estiver lá...?"

"Sim?"

"Então a senhorita Jessel também estará?"

"Sem dúvida. A senhora vai ver."

"Ah, obrigada!", exclamou minha amiga, tão solidamente plantada no chão que, dando-me conta do fato, segui em frente sem ela. Quando cheguei ao laguinho, porém, ela me acompanhava de perto, e eu sabia que, independentemente do que minha colega temesse poder acontecer comigo, expor-se ao risco de estar em minha companhia lhe parecia dos perigos o menor. Ela exalou um gemido de alívio quando por fim pudemos ver a maior parte do lago sem que a menina estivesse à vista. Não havia sinal de Flora na margem mais próxima, onde minha observação dela fora mais surpreendente, nem na oposta, onde, tirante uma margem de cerca de vinte metros, um bosque espesso chegava até a água. O laguinho, de forma retangular, tinha a largura tão exígua em comparação com o comprimento que, não estando à vista as extremidades, podia ser confundido com um riacho. Contemplamos a expansão vazia, e então senti a sugestão no olhar de minha amiga. Entendi o que ela queria dizer e respondi balançando a cabeça negativamente.

"Não, não; espere! Ela pegou o barco."

Minha companheira contemplou o embarcadouro vazio e depois voltou a olhar para a margem oposta do lago. "Então onde está ele?"

"O fato de que não o vemos é a prova mais forte. Ela usou-o para atravessar, e depois conseguiu escondê-lo."

"Sozinha — aquela criança?"

"Ela não está sozinha, e nessas ocasiões não é uma criança: é uma velha bem velha." Corri os olhos por toda a parte visível da margem enquanto a sra. Grose mais uma vez, no estranho elemento que eu lhe oferecia, dava um de seus mergulhos de submissão; então comentei que o barco podia muito bem estar num pequeno refúgio formado por um dos recôncavos do lago, um recorte ocultado, para quem estava do outro lado, por uma projeção da margem e um arvoredo junto à água.

"Mas se o barco está lá, onde se enfiou essa menina?", minha colega perguntou, ansiosa.

"É exatamente isso que precisamos descobrir." E retomei a caminhada.

"Dando a volta completa no lago?"

"Isso mesmo, até lá. Vamos levar só dez minutos, mas é longe o bastante para que a menina tenha preferido não ir a pé. Ela atravessou o lago na reta."

"Cruz-credo!", exclamou minha amiga outra vez; o encadeamento de minha lógica era, como sempre, demais para ela. Teve o efeito de fazê-la seguir-me de perto, e quando estávamos na metade do caminho — uma trajetória cheia de desvios, num terreno muito acidentado e numa pista engolida pelo mato — parei para que ela recuperasse o fôlego. Estendi-lhe um braço agradecido para lhe dar apoio, assegurando-lhe que ela ia me ajudar muitíssimo; e com isso retomamos a caminhada, de modo que poucos minutos depois chegamos ao ponto em que, conforme eu imaginara, o barco se encontrava. Ele fora deixado de propósito o mais escondido possível, amarrado a uma das estacas de uma cerca que, naquele exato trecho, chegava até a beira e que servira para ajudar o desembarque. Reconheci, vendo um par de remos curtos e grossos cuidadosamente recolhidos, o caráter prodigioso daquele feito para uma menininha; mas eu já vivera, àquela altura, tempo bastante em meio a portentos, e já dançara, ofegante, a compassos mais animados. Havia um portão na cerca, pelo qual passamos, e logo em seguida nos vimos de novo em campo aberto. Então "Lá está ela!", exclamamos as duas ao mesmo tempo.

Flora, a uma distância pequena, exibia-se diante de nós na grama e sorria como se seu espetáculo agora tivesse chegado ao fim. Em seguida, porém, abaixou-se de repente e arrancou — tal como se estivesse ali justamente para isso — um ramo grande e feio de samambaias murchas. No mesmo instante, tive certeza de que ela acabava de sair do bosque. Ela ficou a nossa espera, não dando sequer um passo, e me dei conta da solenidade estranha com que por fim nos aproximamos dela. Ela sorria, sorria, e nos encontramos; mas tudo se deu em meio a um silêncio que, a essa altura, já se tornara claramente sinistro. A sra. Grose foi a primeira a quebrar o encantamento: caiu de joelhos e, puxando a criança para junto de seu peito, estreitou num abraço prolongado o corpinho tenro e dócil. Enquanto durou essa muda convulsão, não me restava outra coisa a fazer senão observá-la — o que fiz de modo ainda mais atento quando vi o rosto de Flora me espiando por cima do ombro de nossa companheira. O rosto estava sério agora — o lampejo de animação estava extinto; porém acentuou em mim a pontada de inveja com que naquele momento encarei a simplicidade da relação que a sra. Grose tinha com a menina. De qualquer modo, durante todo esse tempo nada mais se passou entre nós além do fato de que Flora deixou cair no chão sua samambaia ridícula. O que ela e eu praticamente dissemos uma à outra foi que agora não adiantava mais recorrer a pretextos. Quando finalmente se levantou, a sra. Grose não soltou a mão da menina, de modo que as duas continuavam diante de mim; e a singular reticência de nossa comunhão foi acentuada ainda mais pelo olhar franco que ela me dirigiu: "Macacos me mordam", era o seu significado, "se *eu* falar!".

Foi Flora que, olhando-me de alto a baixo, falou primeiro. Surpreendeu-se ao ver que estávamos sem chapéu. "Onde estão as suas coisas?"

"Onde estão as suas, minha querida!", retruquei prontamente.

Ela já havia recuperado o jeito alegre e pareceu julgar que essa resposta era suficiente. "E onde está o Miles?", prosseguiu.

Algo nessa pequena demonstração de bravura foi demais para mim: essas cinco palavras de Flora revelaram-se, como o lampejo de um punhal desembainhado, a sacudidela no copo que minha mão, há semanas e semanas, vinha segurando no alto, cheio até a boca, e que agora, antes mesmo de eu falar, senti transbordar num dilúvio. "Eu lhe digo se *você* me disser...", ouvi-me dizendo, e em seguida ouvi o tremor que a interrompeu.

"Se eu disser o quê?"

A aflição da sra. Grose ardia em minha direção, mas era tarde demais, e acabei dizendo muito bem dito: "Onde, meu amorzinho, está a senhorita Jessel?".

20

Tal como ocorrera com Miles no cemitério da igreja, a coisa toda estava às claras entre nós. Eu sempre dera importância ao fato de esse nome não ter sido até então, nem uma única vez, pronunciado, e o rápido e chocado olhar com que a menina o recebeu indicava que meu rompimento daquele silêncio teve um efeito semelhante ao estilhaçar de uma vidraça. O efeito somou-se ao grito interposto, como se para impedir o golpe que a sra. Grose soltou no instante de minha violência — o grito de uma criatura assustada, ou melhor, ferida, o qual, por sua vez, segundos depois, foi completado por uma exclamação vinda de mim. Agarrei o braço de minha colega. "Ela está ali, ali!"

A srta. Jessel estava diante de nós na margem oposta, tal como da outra vez, e lembro, estranhamente, que o primeiro sentimento provocado em mim por essa visão foi de júbilo por ter obtido uma prova. Ela estava lá, e eu tinha razão; ela estava lá, e eu não era má nem louca. Estava lá para a pobre sra. Grose, tão assustada, mas principalmente para Flora; e nenhum momento dessa época monstruosa foi talvez tão extraordinário quanto aquele em que eu conscientemente enviei a ela — com a sensação de que seria entendida por ela, demônio pálido e voraz que era — uma mensagem tácita de gratidão. Lá estava ela, ereta, no local onde eu e minha amiga estivéramos pouco antes, e não havia, no longo alcance de seu desejo, uma única polegada de sua maldade que não chegasse até nós. Essa sensação vívida inicial de visão e emoção durou apenas alguns segundos, durante os quais o olhar da sra. Grose, atordoada, voltado para o lugar indicado por mim, me pareceu um sinal inegável de que também ela por fim estivesse vendo, tal como me fez dirigir os olhos mais que depressa para a menina. A revelação, nesse instante, do modo como Flora foi afetada surpreendeu-me, na verdade, muito mais do que se eu constatasse que ela estava apenas nervosa, pois uma atitude de desânimo explícito não era, é claro, o que eu esperava. Preparada e resguardada como devia estar, por efeito de termos saído em seu encalço, ela deveria impedir-se de trair qualquer emoção; assim, fiquei abalada de imediato quando me deparei com aquela emoção imprevista. Vê-la, sem nenhuma contração do rostinho rosado, nem sequer fingir que olhava em direção ao prodígio que eu anunciava, porém em vez disso dirigir a *mim* uma expressão dura e séria, uma expressão absolutamente nova, sem precedente, que parecia me decifrar, acusar e julgar — isso foi algo que de algum modo converteu a própria menininha na exata presença capaz de me fazer tremer. Tremi, muito embora minha certeza de que ela estava vendo perfeitamente nunca tivesse sido maior do que naquele instante, e na necessidade imediata de me defender convoquei seu testemunho de modo passional: "Ela está ali, sua pequena infeliz — ali, ali, *ali*, e você a está vendo tão bem quanto vê a mim!". Eu dissera pouco antes à sra. Grose que nesses momentos ela não era uma criança, e sim uma velha bem velha, e não poderia haver melhor confirmação dessa descrição do que a maneira como, à guisa de resposta, Flora simplesmente me demonstrou, sem concessões, um reconhecimento, nos olhos, uma expressão cada vez mais profunda, e subitamente fixa, de reprovação. Eu estava, a essa altura — se ainda consigo pôr em sequência os eventos —, mais horrorizada com o que posso chamar de o jeito da menina do que com qualquer outra coisa, embora nesse exato momento tivesse me dado conta de que teria de enfrentar também o desafio muito sério da sra. Grose. Minha colega mais velha, no momento seguinte, apagou tudo com seu rosto corado e uma exclamação de protesto e espanto, uma explosão de reprovação veemente. "Mas é mesmo um horror! Onde é que a senhora está vendo alguma coisa?"

Não pude fazer outra coisa senão apertá-la com ainda mais força, pois no momento exato em que ela falava aquela horrível presença viva permanecia no mesmo lugar, intacta e invicta. Já perdurava havia um minuto, e durou enquanto eu continuava, agarrando minha colega, praticamente empurrando-a em direção à visão e apresentando-a a ela, a apontar com insistência. "A senhora não a está vendo tal como *nós* a vemos? Então a senhora não está vendo — *agora*? É do tamanho de uma fogueira! Olhe só, minha cara, *olhe*...!" Ela olhou, tal como eu, e passou-me, com seu profundo gemido de negação, repulsa, compaixão — a mistura da pena que sentia com o alívio de se ver eximida —, a impressão, que me pareceu comovente mesmo naquele momento, de que teria me apoiado se pudesse. Esse apoio talvez fosse bem necessário, pois com o duro golpe da constatação de que os olhos dela estavam definitivamente fechados senti que minha posição se esfacelou de um modo terrível, senti — vi — que minha lívida predecessora, de sua posição, se aproveitava de minha derrota, e me dei conta, mais do que tudo, do que teria de enfrentar doravante com a surpreendente atitude da pequena Flora. Nessa atitude a sra. Grose mergulhou de imediato e violentamente, irrompendo, muito embora um prodigioso triunfo íntimo ainda pungisse minha sensação de ruína, com uma confiança ofegante.

"Ela não está lá, mocinha, não há ninguém lá — e você nunca vê ninguém, minha queridinha! Como é que a pobre senhorita Jessel... se a coitada está morta e enterrada? *Nós* sabemos disso, não é, meu amor?" — e apelava, desajeitada, para a criança. "É tudo só uma confusão, uma preocupação e uma brincadeira — e vamos logo para casa o mais depressa possível!"

A menina, ao ouvir isso, reagira mais que depressa com uma espécie de estranho pudor, e lá estavam as duas de novo, a sra. Grose já de pé, unidas, por assim dizer, numa oposição constrangida a mim. Flora continuava a encarar-me com sua pequena máscara de reprovação, e mesmo naquele instante pedi a Deus que me perdoasse por parecer ver que, enquanto ela se agarrava à saia de nossa amiga, sua incomparável beleza infantil havia de repente se esvaído, desaparecido por completo. Já disse antes — ela estava literalmente, horrorosamente, dura; havia se tornado vulgar, quase feia. "Não sei do que a senhora está falando. Não estou vendo ninguém. Não estou vendo nada. *Nunca* vi nada. Acho que a senhora é má. Não gosto da senhora!" Em seguida, depois dessa explosão, que bem poderia ter partido de uma criança de rua malcriada, abraçou a sra. Grose com mais força e enterrou em suas saias aquele rostinho pavoroso. Nessa posição, emitiu um gemido de quase fúria. "Me leve embora, me leve embora — ah, me leve para longe *dela*!"

"De *mim*?", exclamei.

"Da *senhora* — da senhora!", ela gritou.

Até mesmo a sra. Grose olhou para mim com desânimo; a mim, não restava outra coisa senão voltar a me comunicar com a figura que, na margem oposta, imóvel, tão rígida quanto se estivesse ouvindo, do outro lado, as nossas vozes, continuava tão vividamente presente para me destruir quanto não o estava para me ajudar. A infeliz criança falara tal como se tivesse obtido de alguma fonte externa cada uma daquelas palavrinhas venenosas, e assim, no pleno desespero de tudo que era necessário aceitar, eu não podia senão balançar minha cabeça para ela com tristeza. "Se por um momento eu tivesse duvidado, todas as minhas dúvidas teriam desaparecido agora. Tenho convivido com a verdade terrível, e agora ela me encurralou. É claro que perdi você: eu interferi e você encontrou, ditada por *ela*" — e, dizendo isso, olhei novamente para nossa testemunha infernal, do outro lado do lago — "a maneira mais fácil e perfeita de reagir. Fiz o melhor que pude, mas perdi você. Adeus." À sra. Grose dirigi apenas um "Vá embora, vá embora!" imperativo, quase frenético, diante do qual, numa perturbação profunda, porém silenciosamente em posse da menininha e sem dúvida convencida, apesar de sua cegueira, de que alguma coisa horrível ocorrera e algum abismo nos engolira, ela recuou, pelo caminho que havíamos trilhado, andando o mais depressa possível.

Do que se passou assim que fui deixada sozinha, não guardei lembrança. Só sei que, no final de um quarto de hora, creio eu, uma sensação de umidade e aspereza olorosa, gelando e perfurando minha dor, me deu a entender que eu certamente me jogara no chão, de bruços, entregando-me a um desvario de sofrimento. Devo ter ficado assim um bom tempo, chorando e soluçando, pois quando levantei a cabeça o dia já estava quase extinto. Pus-me de pé e olhei por um instante, na penumbra, para o lago cinzento e sua margem assombrada, e então empreendi a dura e difícil caminhada de volta para casa. Quando cheguei ao portão da cerca, o barco, para surpresa minha, não estava lá, o que me fez refletir mais uma vez sobre o extraordinário controle que Flora tinha da situação. Ela passou aquela noite, graças a uma combinação tácita e, eu acrescentaria se a palavra não soasse grotescamente falsa neste contexto, muito feliz, com a sra. Grose. Não vi nenhuma das duas quando voltei, mas por outro lado, como uma espécie de compensação ambígua, vi Miles o tempo todo. Vi — não há como dizê-lo de outro modo — Miles como se jamais o tivesse visto tanto antes. Nenhuma das noites que eu passara em Bly fora tão nefasta quanto essa; e apesar disso — e também das profundezas de consternação que se abriram sob meus pés — havia literalmente, na realidade a esvair-se, uma tristeza muitíssimo doce. Ao chegar em casa, nem sequer procurei o menino; fui direto a meu quarto para mudar de roupa e verificar, com um único relance, os muitos testemunhos materiais do rompimento com Flora. Seus pequenos pertences tinham sido todos retirados. Quando, mais tarde, junto à lareira da sala de estudos, veio me servir o chá a criada de sempre, não fiz, a respeito de meu outro pupilo, uma única pergunta. Ele tinha liberdade agora — pois que gozasse dela até o fim! De fato, ele tinha liberdade; e ela consistiu — em parte — em vir a meu quarto por volta das oito horas e ficar sentado a meu lado em silêncio. Quando foram levados os apetrechos do chá, eu apagara as velas e puxara minha cadeira para mais perto da lareira: sentia uma frieza mortal e parecia-me que nunca mais poderia me aquecer. Assim, quando Miles apareceu, eu estava sentada à luz do fogo, a sós com meus pensamentos. Ele deteve-se à porta por um momento como se no intuito de olhar para mim; então — como se quisesse partilhá-los — dirigiu-se ao outro lado da lareira e instalou-se numa cadeira. Ficamos assim na mais completa imobilidade; no entanto, eu sentia, ele queria estar comigo.

Antes que um novo dia, em meu quarto, irrompesse por completo, meus olhos se abriram para a sra. Grose, que viera ter à minha cama para me dar uma notícia ainda pior. Flora estava tão febril que talvez estivesse adoecendo; passara uma noite extremamente inquieta, agitada acima de tudo por temores que estavam centrados nem um pouco na governanta anterior, e sim por completo na atual. Não era contra a possível volta da srta. Jessel que ela protestava, e sim, de modo enfático e passional, contra a minha presença. Pus-me de pé na mesma hora, é claro, e com um pedido enorme a fazer; mais ainda por estar minha amiga visivelmente preparando-se para outra vez me atender. Foi o que senti tão logo lhe perguntei sobre sua avaliação da sinceridade da menina em oposição à minha. "Ela insiste em negar à senhora que viu, que em algum momento viu, alguma coisa?"

O constrangimento de minha visitante era, decerto, imenso. "Ah, não posso ficar batendo nessa história com ela! Mas, na verdade, sou obrigada a dizer, nem é preciso. Ela virou, dos pés à cabeça, uma velhinha."

"Ah, vejo a cena perfeitamente de onde estou. Ela está indignada, como se fosse uma personagem de alto coturno, com o questionamento de sua veracidade e, por assim dizer, de sua respeitabilidade. 'A senhorita Jessel, ora — *ela*!' Ah, ela é 'respeitável', sim, essa pequena atrevida! A impressão que ela me deu ontem, eu lhe garanto, foi a mais estranha de todas; deixou longe todas as outras. Eu realmente meti os pés pelas mãos! Ela nunca mais vai voltar a falar comigo."

Tão horrenda e obscura era a situação que a sra. Grose por alguns instantes permaneceu muda; em seguida, concordou comigo com uma franqueza que, disso eu tinha certeza, ocultava algo mais. "Também acho que ela não volta mais a falar com a senhora. Ela está mesmo com uma presunção que só vendo!"

"E essa presunção", resumi, "é o que tem de errado com ela agora."

Ah, aquela presunção, eu a via no rosto de minha visitante, e muitas outras coisas também! "Ela me pergunta de três em três minutos se eu acho que a senhora vai aparecer."

"Entendo, entendo." Eu também, de minha parte, havia feito muito mais do que destrinchar o problema. "Ela lhe disse, de ontem para hoje — senão para repudiar sua familiaridade com algo tão horrendo — alguma outra coisa sobre a senhorita Jessel?"

"Nem uma palavra. E, é claro, a senhora sabe", minha amiga acrescentou, "concordei com ela que, à beira do lago, pelo menos naquele momento, não havia ninguém, não."

"Decerto! E, naturalmente, a senhora continua concordando com ela."

"Não digo que ela está errada. O que é que eu posso fazer?"

"Absolutamente nada! A senhora está lidando com a pessoinha mais esperta do mundo. Eles fizeram dos dois — os dois amigos deles, quero dizer — ainda mais espertos do que a natureza os fez; pois havia ali um material esplêndido para moldar! A Flora tem agora um motivo para queixa, e vai explorá-lo para seu propósito."

"Sim; mas *qual* é o propósito dela?"

"Ora, falar de mim com o tio. Vai me pintar para ele como a mais baixa das criaturas...!"

Recuei diante da cena tal como foi estampada no rosto da sra. Grose; por um minuto, ela parecia estar vendo nitidamente os dois juntos. "E ele que tem a senhora em tão boa conta!"

"Ele tem uma maneira bem estranha — isso me ocorre agora", comentei, rindo, "de dar provas disso! Mas não importa. O que a Flora quer, claro, é livrar-se de mim."

Minha colega concordou. "Nunca mais nem mesmo olhar para a senhora."

"De modo que a senhora veio aqui", indaguei, "a fim de me pedir que eu vá embora o mais breve possível?" Antes que ela tivesse tempo de responder, porém, eu a detive. "Tenho uma ideia melhor — fruto das minhas reflexões. Ir embora parece mesmo a coisa certa a fazer, e no domingo estive muito próxima de dar esse passo. Mas não é essa a solução. É *a senhora* quem deve ir embora. A senhora precisa levar a Flora daqui."

Minha visitante, ao ouvir isso, ficou a especular. "Mas para onde...?"

"Para longe daqui. Para longe *deles*. Longe, acima de tudo, agora, de mim. Direto para o tio dela."

"Só para denunciar a senhora...?"

"Não, não 'só' para isso! Também para me deixar aqui com meu remédio."

Ela continuava no escuro. "E qual é o seu remédio?"

"A sua lealdade, para começar. E também a de Miles."

Ela olhou-me fixamente. "A senhora acha que ele..."

"Não vai, se tiver oportunidade, se voltar contra mim? Sim, continuo achando isso. Seja como for, quero tentar. Vá embora com a irmã dele o mais depressa possível e deixe-me sozinha com ele." Eu própria me admirava com o ânimo que ainda me restava, e por conseguinte, talvez, fiquei um tanto desconcertada ao ver que, apesar dessa minha excelente demonstração, a sra. Grose hesitava. "Mais uma coisa, é claro", prossegui: "eles não podem se ver antes de Flora partir, nem mesmo por três segundos." Então me ocorreu que, apesar de Flora estar presumivelmente isolada desde o momento em que voltara do lago, talvez já fosse tarde demais. "A senhora quer dizer", perguntei, ansiosa, "que eles já se encontraram?"

Ao ouvir isso, ela corou. "Ah, a senhora não pense que eu sou tão boba assim! Se eu tive que largá-la três ou quatro vezes, sempre deixei uma criada com ela, e no momento, embora esteja sozinha, a porta está trancada. Mesmo assim — mesmo assim!" Havia coisas demais.

"Mesmo assim o quê?"

"A senhora está mesmo tão segura quanto ao pequeno cavalheiro?"

"Segura, só estou mesmo quanto à senhora. Mas desde a noite de ontem tenho uma nova esperança. Acho que ele quer me dar uma oportunidade. Eu realmente acredito — pobrezinho, tão bonito e tão infeliz! — que ele quer falar. Ontem à noite, à luz da lareira e em silêncio, ele passou duas horas sentado comigo como se a coisa estivesse prestes a acontecer."

A sra. Grose olhava fixamente, pela janela, para o dia cinzento que nascia. "E aconteceu?"

"Não, por mais que eu esperasse e esperasse, confesso que não aconteceu, e foi sem interromper o silêncio e sem a mais leve alusão ao estado e à ausência da irmã que por fim nos despedimos com um beijo. Seja como for", prossegui, "não posso, se o tio a receber, deixar que ele fale com o menino sem que eu lhe tenha dado — mais ainda agora que as coisas vão tão mal — um pouco mais de tempo."

Minha amiga pareceu manifestar, quanto a esse ponto, uma relutância que não consegui compreender. "O que a senhora quer dizer com mais tempo?"

"Bem, um ou dois dias — para que a coisa venha à tona. Aí ele vai ficar do *meu* lado — e a senhora certamente compreende como isso é importante. Se não acontecer nada, será apenas um fracasso para mim, e a senhora, na pior das hipóteses, terá me ajudado fazendo, ao chegar à cidade, o que lhe for possível." Foi nesses termos que expus a situação, mas a sra. Grose continuou por algum tempo tão inexplicavelmente constrangida que mais uma vez resolvi ajudá-la. "A menos, é claro", concluí, "que a senhora realmente *não* queira ir."

Por fim, vi, em seu rosto, uma expressão desanuviada; ela estendeu-me a mão como garantia. "Eu vou — eu vou. Vou agora mesmo, de manhã."

Eu queria ser inteiramente justa. "Caso a senhora ainda prefira esperar, eu dou um jeito de que ela não me veja."

"Não, não: o problema está neste lugar. Ela precisa sair daqui." Prendeu-me ainda por um instante com os olhos pesados, depois disse o que faltava dizer. "A sua ideia é mesmo a melhor. A senhora sabe, eu mesma..."

"Sim?"

"Não posso ficar."

O olhar que ela me dirigiu despertou possibilidades em mim. "Quer dizer que, de ontem para cá, a senhora *viu...?*"

Ela fez que não, com dignidade. "*Ouvi...!*"

"Ouviu?"

"Da boca daquela criança — horrores! Foi isso!", suspirou, com um alívio trágico. "Palavra de honra, ela diz cada coisa...!" Mas diante dessa evocação ela não se conteve; largou-se, com um soluço súbito, no meu sofá e, tal como eu jamais a vira fazer antes, entregou-se de todo a sua dor.

Foi de modo muito diferente que eu, de minha parte, não me contive. "Ah, graças a Deus!"

Ela levantou-se de um salto ao ouvir isso, enxugando os olhos e gemendo. "'Graças a Deus'?"

"Porque assim estou justificada!"

"É verdade, sim, senhora!"

Eu não poderia desejar ênfase maior que aquela, mas hesitei. "Ela está horrível?"

Vi que minha colega mal sabia como se expressar. "É uma coisa realmente chocante."

"E diz respeito a mim?"

"Sim, senhora — já que é importante a senhora ficar sabendo. É uma coisa que não se pode acreditar, vindo de uma mocinha; e não consigo imaginar onde foi que ela aprendeu..."

"A linguagem pavorosa com que ela se refere a mim? Ah, mas eu consigo!" Interrompi-me com um riso que sem dúvida dizia tudo.

Na verdade, o efeito sobre minha amiga foi torná-la ainda mais séria. "É, acho que eu também consigo — pois já ouvi esse tipo de conversa antes! Mesmo assim, para mim é insuportável", a pobre mulher prosseguiu enquanto, no mesmo movimento, olhou para minha penteadeira, onde estava meu relógio. "Mas tenho que voltar."

Eu, porém, detive-a. "Ah, mas se para a senhora é insuportável...!"

"Como eu faço para ela parar, é o que a senhora quer dizer? Ora, é justamente isto: levando a menina embora daqui. Longe disto aqui", ela insistiu, "longe *deles*..."

"Talvez ela fique diferente? Talvez liberte-se?" Agarrei-a quase com júbilo. "Então, apesar de ontem, a senhora *acredita*..."

"Nessas coisas?" Sua caracterização simplória da situação não precisava, levando-se em conta a expressão em seu rosto, de maiores esclarecimentos, e ela deu-me a afirmação completa que jamais dera antes. "Acredito."

Sim, era mesmo júbilo, e continuávamos lado a lado: se eu pudesse permanecer certa disso, pouco me importava o que mais viesse a acontecer. Seu apoio diante do desastre seria o mesmo que fora antes, no início, quando eu precisava de alguém em quem confiar, e se minha amiga confirmasse minha retidão, eu enfrentaria tudo o mais. Na hora de me despedir dela, não obstante, fiquei até certo ponto constrangida. "Há mais uma coisa — ocorre-me agora — a considerar. Minha carta, dando o alarme, vai chegar antes da senhora."

Percebi então, mais ainda, o quanto ela estivera a remanchar e o quanto esse esforço lhe havia custado. "A sua carta não vai chegar lá. Ela nunca saiu daqui."

"Então que aconteceu com ela?"

"Só Deus sabe! O pequeno Miles..."

"A senhora quer dizer que *ele* a pegou?", exclamei.

Ela hesitou, porém conseguiu vencer sua relutância. "É que eu vi ontem, quando voltei com Flora, que a carta não estava mais lá onde a senhora a pôs. Mais tarde, à noite, tive ocasião de perguntar ao Luke, e ele disse que não viu nem pegou carta nenhuma." Diante disso, só nos restou trocar uma de nossas sondagens mútuas mais profundas, e foi a sra. Grose quem primeiro puxou o fio de prumo com um "A senhora entende?" quase entusiástico.

"Entendo, sim, que se o Miles a pegou ele já deve tê-la lido e destruído."

"E não entende mais nada?"

Encarei-a por um momento com um sorriso triste. "Pelo visto, a essa altura seus olhos estão mais abertos até do que os meus."

De fato estavam, mas ainda assim ela só pôde corar, quase, ao demonstrá-lo. "Agora eu sei o que ele deve ter feito na escola." E balançou a cabeça, com sua argúcia ingênua, exprimindo uma desilusão quase bem-humorada. "Ele roubou!"

Pensei por um momento — tentei ser mais judiciosa. "Bem... pode ser."

Ela pareceu julgar minha inesperada tranquilidade. "Ele roubou *cartas*!"

Ela não tinha como saber os motivos que inspiravam

aquela minha tranquilidade, que era, no final das contas, bem superficial; assim, demonstrei-os como pude. "Espero, então, que ele o tenha feito com mais sucesso do que neste caso! De qualquer modo, o bilhete que deixei na mesa ontem", prossegui, "há de lhe dar uma vantagem tão pequena — pois continha apenas o pedido de uma entrevista — que ele já deve estar muito envergonhado por ter ido tão longe para conseguir tão pouco, e o que pesava em sua consciência ontem à noite era precisamente a necessidade de confessar-se." Julguei, por ora, ter resolvido e entendido tudo. "Deixe-nos a sós" — eu já estava à porta do quarto, apressando a sra. Grose. "Vou extrair tudo dele. Ele vai me procurar — vai confessar. Se confessar, está salvo. E se ele se salvar..."

"Então *a senhora* também se salva?" Minha querida amiga beijou-me ao dizer isso e despediu-se de mim. "Eu salvo a senhora mesmo sem ele!", exclamou enquanto se afastava.

22

No entanto, foi após ela sair — e senti sua falta na mesma hora — que o momento realmente crítico se deu. Se eu pensara no que ganharia estando a sós com Miles, de imediato percebi que, no mínimo, teria ideia da extensão do que ocorria. Na verdade, de todas as horas de minha estada a mais cheia de apreensão foi aquela em que desci do quarto e fui informada de que a sra. Grose e minha pupila já haviam saído pelos portões. Agora eu estava, disse a mim mesma, cara a cara com os elementos, e em boa parte do restante do dia, enquanto combatia minha própria fraqueza, pude avaliar minha conduta como extremamente temerária. Eu jamais me vira num espaço com tão pouca margem de manobra; mais ainda porque, pela primeira vez, eu via na aparência dos outros um reflexo confuso da crise. O que acontecera, é claro, fazia com que todos arregalassem os olhos; muito pouco fora explicado, por mais que déssemos pistas, do ato súbito de minha colega. As criadas e os empregados pareciam perplexos; o efeito disso era o de abalar meus nervos, até que vislumbrei a necessidade de transformá-lo num fator positivo. Em suma, foi precisamente por agarrar-me ao leme que evitei o naufrágio completo; e eu diria que, para conseguir manter-me em pé, tornei-me, naquela manhã, muito imponente e muito seca. Assumi de bom grado a consciência de que havia muito a fazer e também tornei evidente que, sendo deixada a sós, eu era de uma firmeza notável. Fiquei a perambular com essa postura por uma ou duas horas, por toda a casa, com um ar, disso não tenho dúvida, de estar preparada para enfrentar qualquer ataque. Assim, dirigindo-me a quem pudesse interessar, eu desfilava com o coração enfermo.

A pessoa a quem isso menos parecia interessar era, até a hora do almoço, o pequeno Miles. Em minhas perambulações, nesse ínterim, eu não o vira uma só vez, porém eu tornara mais pública a mudança ocorrida em nossas relações como consequência de ter ele, na véspera, me mantido, para favorecer Flora, tão distraída e ludibriada. O selo da publicidade fora dado de forma completa, é claro, pelo confinamento e pela partida da menina, e a mudança em si foi agora sinalizada pelo fato de não realizarmos nossa costumeira sessão na sala de estudos. Ele já havia desaparecido quando, a caminho do andar de baixo, abri a porta de seu quarto e fiquei sabendo, ao descer, que ele fizera o desjejum — na presença de duas criadas — com a sra. Grose e a irmã. Ele então saíra, segundo dissera, para uma caminhada; isso, refleti, exprimia mais do que qualquer outra coisa sua visão franca da mudança abrupta sofrida por meu cargo. O que ele permitiria que meu cargo passasse a ser ainda não fora determinado: havia, fosse como fosse, um alívio curioso — para mim em especial — em renunciar a uma pretensão. Se tanta coisa viera à tona, creio não estar exagerando ao dizer que o que havia se tornado mais visível era talvez o quanto seria absurdo prolongarmos o faz de conta de que eu tinha mais alguma coisa a lhe ensinar. Estava bem claro que, por meio dos pequenos artifícios tácitos com que ele, mais ainda do que eu, cuidava de preservar minha dignidade, fora-me necessário apelar a Miles para que não continuasse a exigir de mim o esforço necessário para igualar-me a ele nos termos de sua verdadeira capacidade. O menino, de qualquer modo, tinha agora sua liberdade; eu jamais voltaria a impugná-la; isso fora claramente demonstrado, ademais, quando, ao juntar-se ele a mim na sala de estudos na noite da véspera, eu não proferira, com relação ao intervalo recém-concluído, nenhum desafio ou insinuação. A partir desse ponto, minhas outras ideias ocupavam-me por completo. No entanto, quando ele por fim chegou, a dificuldade de aplicá-las, os acréscimos a meu problema, foram enfatizados de imediato pela bela presença daquele pequeno ser, em que os recentes acontecimentos ainda não haviam deixado qualquer marca ou sombra visível.

A fim de assinalar, a todos da casa, a alta posição que eu cultivava, decretei que minhas refeições com o menino seriam servidas, como dizíamos, lá embaixo; assim, fiquei a esperá-lo na pesada pompa do salão através de cuja janela eu recebera da sra. Grose, naquele primeiro domingo assustador, meu lampejo daquilo que não seria apropriado chamar de iluminação. Ali, naquele momento, senti novamente — pois já o sentira vez após vez — o quanto meu equilíbrio dependia do sucesso da minha vontade inflexível, a vontade de fechar os olhos com toda a força para a verdade de que eu precisava enfrentar algo que, de modo revoltante, era contrário à natureza. Eu só podia seguir em frente tomando a "natureza" como minha confidente e levando-a em conta, tratando minha monstruosa provação como um esforço numa direção estranha, é claro, e desagradável, mas algo que exigia, afinal, para manter uma fachada serena, apenas outra volta do parafuso da virtude humana comum. Nenhuma tentativa, no entanto, poderia exigir mais tato do que essa tentativa de contribuir, sozinha, com *toda* a natureza. Como poderia eu emprestar o mínimo que fosse dessa substância à supressão de referência do que acontecera? Como, por outro lado, poderia eu fazer tal referência sem mergulhar mais uma vez no horrendo e no obscuro? Pois bem, uma espécie de resposta, após algum tempo, me viera, e foi confirmada na medida em que me defrontei, de modo incontestável, com a visão acentuada do que havia de raro em meu pequeno companheiro. Era, de fato, como se ele houvesse encontrado mesmo agora — como tantas vezes o fizera durante as lições — ainda outra maneira delicada de facilitar as coisas para mim. Não representaria uma luz o fato de que, enquanto compartilhávamos a solidão, irrompeu com um brilho especioso que até então jamais manifestara? — o fato de que (se houvesse oportunidade, uma oportunidade preciosa que agora aparecera) seria ridículo, ao lidar com uma criança de tais dotes, abrir mão da ajuda que poderia ser extraída da inteligência absoluta? Para que lhe fora concedida inteligência senão para salvá-lo? Não caberia, com o fim de ter acesso a sua mente, correr o risco de esticar um braço anguloso por cima de seu caráter? Era como se, quando estávamos face a face na sala de jantar, ele literalmente me tivesse indicado o caminho. O carneiro assado estava sobre a mesa e eu dispensara a criadagem. Miles, antes de se sentar, ficou parado um momento com as mãos nos bolsos a olhar para o carneiro, parecendo prestes a pronunciar sobre ele um comentário jocoso. Mas o que por fim disse foi: "Diga-me, minha cara, ela está mesmo muito doente?".

"Flora? Nem tanto que não vá melhorar em breve. Londres vai lhe fazer bem. Bly já não estava sendo boa para ela. Venha servir-se de carneiro."

Ele obedeceu na mesma hora, levou o prato com cuidado para seu lugar e, tendo se instalado, prosseguiu. "Então Bly deixou de ser boa para ela de uma maneira terrível, assim de repente?"

"Nem tão de repente quanto você pode pensar. Ela já estava dando sinais."

"Então por que foi que a senhora não a mandou para lá antes?"

"Antes de quê?"

"Antes que ela ficasse doente demais para viajar."
Minha resposta foi rápida. "Ela *não* está doente demais para viajar: apenas poderia acabar ficando se não partisse logo. Este era o momento exato de agir. A viagem vai dissipar a influência" — ah, eu estava mesmo esplêndida! — "e resolver o problema."
"Entendi. Entendi" — também Miles, por sua vez, estava esplêndido. Começou a fazer sua refeição, com as encantadoras boas maneiras que, desde o dia de sua chegada, tornaram supérfluas quaisquer admoestações grosseiras de minha parte. Fosse o que fosse que motivara sua expulsão, não fora o hábito de comer feio. Ele estava irreprochável, como sempre, nesse dia; mas estava sem dúvida mais consciente. Era visível que tentava encarar com naturalidade coisas que, sem ajuda, não eram assim tão fáceis de entender; e mergulhou num silêncio tranquilo enquanto ponderava sua situação. Nossa refeição foi das mais breves — eu apenas fingi comer e mandei que tirassem a mesa imediatamente. Enquanto isso era feito, Miles outra vez permaneceu em pé, as mãos nos bolsos, de costas para mim, olhando pela janela ampla através da qual, naquele outro dia, eu vira o que de tal modo me detivera. Continuamos calados enquanto a criada estava presente — tão calados, ocorreu-me a comparação fantasiosa, quanto um jovem casal que, na viagem de núpcias, no hotel, intimida-se diante do garçom. Ele só se virou quando o garçom nos deixou. "Bem, então estamos sozinhos!"

"Ah, mais ou menos." Imagino que meu sorriso fosse pálido. "Não completamente. Não íamos gostar disso!", prossegui.

"Não, acho que não. É claro, temos os outros."

"Temos os outros — sem dúvida, temos os outros", concordei.

"Mas mesmo tendo os outros", ele retrucou, ainda com as mãos nos bolsos e plantado à minha frente, "eles não contam muito, não é?"

Fiz o melhor que pude, mas sentia-me fraca. "Depende do que você chama de 'muito'!"

"É" — com toda a condescendência — "tudo depende!" Tendo dito isso, porém, virou-se para a janela outra vez e em seguida caminhou até ela com seu passo vago, inquieto, meditativo. Permaneceu lá por algum tempo, com a testa encostada na vidraça, contemplando os arbustos idiotas que eu conhecia e as coisas mortiças de novembro. Eu sempre recorria à minha hipocrisia de "trabalho", por trás da qual, então, ocupei o sofá. Acalmando meus nervos desse modo, como fizera repetidamente nos instantes de tormento aos quais me referi como aqueles em que me dava conta de que as crianças tinham acesso a algo de que eu era excluída, observei razoavelmente meu hábito de estar preparada para o pior. Mas uma impressão extraordinária me assaltou quando extraí um significado das costas constrangidas do menino — nada mais, nada menos do que a impressão de que agora eu não estava excluída. Essa inferência, no decorrer de alguns minutos, ganhou uma intensidade extrema, parecendo associada à percepção direta de que agora quem estava claramente excluído era *ele*. As molduras e os quadrados da janela grande eram como uma imagem, para ele, de uma espécie de fracasso. Senti que o via, ao menos, impedido de sair ou de entrar. Ele se comportava de modo admirável, mas não se sentia à vontade: percebi-o com uma pontada de esperança. Não estaria ele procurando, através da vidraça mal-assombrada, por algo que não conseguia enxergar? E não seria a primeira vez em toda aquela história que ele experimentava tal perda? A primeira, a primeiríssima: aquilo me pareceu um excelente sinal. Ele estava ansioso, embora se contivesse; passara o dia ansioso e, mesmo exibindo à mesa suas excelentes maneiras de menino como sempre, tivera de recorrer a todo seu estranho gênio para manter as aparências. Quando por fim se virou para falar comigo, foi quase como se esse gênio houvesse sucumbido. "Que bom que Bly faz bem a *mim*!"

"Você sem dúvida deu a impressão, nessas últimas vinte e quatro horas, de ter visto bem mais de Bly do que via há um bom tempo. Espero", prossegui, ousada, "que esteja se divertindo."

"Ah, sim, tenho ido muito longe; por toda a área — quilômetros e quilômetros daqui. Nunca fui tão livre."

Ele realmente tinha um jeito só seu, e me restava apenas tentar permanecer a sua altura. "E então, está gostando?"

Ficou parado, sorrindo; por fim colocou em três palavras — "E *a senhora*?" — mais discriminação do que eu jamais vira ser investida numa frase tão curta. Antes que eu tivesse tempo de lidar com sua pergunta, porém, Miles prosseguiu, como se sentisse que ela fora uma impertinência que precisava ser suavizada. "Nada poderia ser mais encantador do que a maneira como a senhora está reagindo, pois é claro que, se estamos a sós juntos, é a senhora quem está mais sozinha. Mas espero", acrescentou, "que não se incomode muito com isso!"

"De ter de lidar com você?", perguntei. "Meu querido menino, como eu poderia não me incomodar? Ainda que tenha desistido de exigir sua companhia — você está muito além de mim —, pelo menos gosto muito dela. Não fosse isso, por que eu teria ficado?"

Ele olhou-me de modo mais direto, e a expressão em seu rosto, mais séria agora, pareceu-me a mais bela que eu jamais vira nele. "A senhora ficou só por *isso*?"

"Sem dúvida. Fiquei na condição de sua amiga e por estar muitíssimo interessada em você até que possa fazer algo por você que lhe seja útil. Não há por que se surpreender com isso." Minha voz tremia tanto que me pareceu impossível conter a agitação. "Lembra que eu lhe disse, aquela vez que sentei na sua cama na noite da tempestade, que não havia nada no mundo que eu não faria por você?"

"Lembro, lembro!" Ele, por seu turno, cada vez mais visivelmente nervoso, precisava também controlar o tom de voz; mas nisso tinha muito mais sucesso que eu, tanto assim que, rindo apesar da seriedade, foi capaz de fazer de conta que estávamos apenas trocando gracejos. "Só que isso, a meu ver, foi para me levar a fazer alguma coisa para a senhora!"

"Em parte, era para levá-lo a fazer uma coisa, sim", concordei. "Mas, como você sabe, você não a fez."

"Ah, sim", ele disse, com uma animação muitíssimo superficial, "a senhora queria que eu lhe dissesse alguma coisa."

"Isso mesmo. Abrir o jogo, sem rodeios. O que está na sua cabeça, você sabe."

"Ah, então foi para *isso* que a senhora ficou?"

Ele falava com uma efusividade por trás da qual eu ainda conseguia discernir o mais sutil tremor de ressentimento; mas não tenho como descrever o efeito que teve sobre mim a percepção de uma rendição, ainda que muito de leve. Era como se a coisa pela qual eu ansiava tivesse chegado por fim, apenas para me deixar atônita. "É, sim, tenho de confessar. Foi justamente para isso."

Ele esperou tanto tempo que imaginei que tivesse o propósito de repudiar o pressuposto em que se fundara minha ação; mas o que terminou por dizer foi: "A senhora quer dizer agora — aqui?".

"Não poderia haver lugar ou hora melhores." Ele olhou a sua volta, inquieto, e tive a impressão rara — ah, e estranha! — de estar diante, pela primeiríssima vez, de um sintoma de que ele estava prestes a manifestar temor. Era como se de súbito Miles sentisse medo de mim — o que me pareceu, de fato, ser talvez o melhor sentimento para despertar nele. No entanto, no momento exato do esforço, percebi que era inútil tentar ser severa, e no instante seguinte ouvi minha própria voz adotar um tom que de tão meigo era quase grotesco. "Você quer voltar a sair tanto assim?"

"Quero muitíssimo!" Ele me dirigiu um sorriso heroico, e essa pequena e tocante demonstração de coragem foi acentuada pelo fato de que corou de dor. Havia pegado o chapéu, que trouxera para a sala, e ficou a revirá-lo de tal modo que me fez sentir, no preciso instante em que me aproximava do porto, um horror paradoxal do que eu estava fazendo. Fazer o que eu fazia do modo que fosse seria um ato de violência, pois, afinal, o que era aquilo senão a imposição de uma ideia de vulgaridade e culpa numa pequena criatura indefesa que fora para mim uma revelação das possibilidades de um belo relacionamento? Não seria uma vileza criar para um ser tão delicado um constrangimento que lhe era simplesmente alheio? Creio que percebo agora nossa situação com uma clareza que ela não poderia ter naquele momento, pois tenho a impressão de que vejo nossos pobres olhos já iluminados pela chispa de uma antevisão da angústia que estava por vir. Assim, andávamos em círculos, com terrores e escrúpulos, como lutadores que não ousam se aproximar um do outro. Mas, se temíamos, era porque um temia pelo outro! Isso nos manteve por mais algum tempo em suspenso, e ilesos. "Vou lhe contar tudo", Miles começou, "quer dizer, vou lhe contar tudo que a senhora quiser. A senhora vai ficar comigo, e tudo vai ficar bem entre nós, e eu *vou*, sim, lhe contar — vou mesmo. Mas não agora."

"Por que não agora?"

Minha insistência fez com que ele me voltasse as costas e ficasse mais um pouco junto à sua janela, num silêncio durante o qual, tanto de minha parte quanto da dele, seria possível ouvir a queda de um alfinete. Em seguida, pôs-se de novo a minha frente com o ar de uma pessoa a quem cabia enfrentar, lá fora, alguém que estava a sua espera. "Preciso falar com o Luke."

Eu ainda não o obrigara a recorrer a nada tão vulgar quanto uma mentira, e senti uma vergonha proporcional. Mas, por mais horrível que fosse, suas mentiras formavam a minha verdade. Fiz, pensativa, alguns pontos de meu tricô. "Bem, nesse caso, vá procurar o Luke, e eu fico esperando o que você prometeu. Só peço, em troca, antes de você sair, que me atenda um pedido muito menor."

Ele parecia achar que se saíra bem o bastante para poder ainda regatear um pouco. "Muito menor...?"

"É, apenas uma pequena fração do todo. Diga-me" — ah, eu estava ocupada com meu trabalho, e fui tão natural! — "se ontem à tarde, na mesa do vestíbulo, você pegou, você sabe, a minha carta."

24

Minha percepção do modo como ele reagiu sofreu por um minuto algo que só posso caracterizar como uma feroz divisão da minha atenção — um golpe que de início, quando me levantei de um salto, obrigou-me a realizar o gesto puramente cego de segurá-lo, puxá-lo para junto de mim e, enquanto eu procurava apoio no móvel mais próximo, instintivamente mantê-lo de costas para a janela. Impunha-se a nós com toda a força a aparição que eu já tivera de enfrentar uma vez no mesmo lugar: Peter Quint surgira como uma sentinela à porta de uma prisão. O que vi em seguida foi que, do lado de fora, ele chegara até a janela, e então me dei conta de que, bem próximo à vidraça e olhando através dela, ele oferecia mais uma vez à sala seu rosto branco de danação. Dizer que tomei minha decisão naquele exato momento seria exprimir de modo imperfeito o que ocorreu dentro de mim diante dessa visão; no entanto creio que nenhuma mulher de tal modo avassalada jamais conseguiu em tão pouco tempo recobrar seu controle sobre o *ato*. Veio-me à mente, em pleno horror da presença imediata, que o ato seria, vendo e encarando o que eu estava a ver e encarar, manter o menino inconsciente do que ocorria. A inspiração — não há outro nome que se lhe possa dar — foi eu sentir que, de um modo tão voluntário, tão transcendental, *talvez* eu conseguisse. Era como lutar com um demônio por uma alma humana, e quando praticamente cheguei a essa conclusão vi que a alma humana — segura, no tremor de minhas mãos, por braços esticados — ostentava um perfeito orvalho de suor numa linda testa infantil. O rosto próximo ao meu estava tão branco quanto o rosto colado à vidraça, e dele por fim saiu um som, nem suave nem fraco, mas que parecia vir de um lugar muito mais longo, o qual eu bebi como se fosse o bafejo de uma fragrância.

"Eu peguei, sim."

Ao ouvir isso, com um gemido de júbilo, abracei-o, estreitei-o mais; e enquanto o apertava contra o peito, onde eu podia sentir na súbita febre de seu corpinho o tremendo pulsar de seu pequeno coração, mantive os olhos na coisa à janela e vi que ela se movia, mudando de postura. Comparei-a antes a uma sentinela, mas aquele giro lento, por um instante, mais lembrava uma fera perplexa à ronda. Minha coragem atiçada, porém, era de tal ordem que, para não deixar que muito dela se manifestasse, eu era obrigada a encobrir, por assim dizer, minha chama. Enquanto isso, o olhar feroz do rosto estava de novo à janela, o miserável imóvel como se para espiar e esperar. Foi precisamente a confiança em que eu agora poderia desafiá-lo, bem como a certeza completa, a essa altura, de que a criança nada percebia, que me fizeram prosseguir. "Por que você a pegou?"

"Para ver o que a senhora dizia de mim."

"Você abriu a carta?"

"Abri."

Enquanto eu afastava Miles um pouco, meus olhos estavam fixos em seu rosto, em que o esvaecimento do ar de escárnio me mostrava o quanto era devastador o efeito da inquietude. O prodigioso era o fato de que por fim, graças a meu sucesso, os sentidos dele haviam se fechado e sua comunicação cessara: ele sabia que estava na presença de algo, mas não sabia de quê, e menos ainda sabia que eu também estava, só que eu sabia. E que importava essa espécie de problema quando meus olhos, de volta à janela, constatavam que o ar voltara a estar limpo e — graças a meu triunfo pessoal — a influência fora extinta? Não havia nada lá. Senti que a causa era minha e que eu certamente ganharia *tudo*. "E você não encontrou nada!", deixei que meu entusiasmo se manifestasse.

Ele, com o ar mais melancólico e pensativo do mundo, balançou de leve a cabeça. "Nada."

"Nada, nada!", quase gritei de júbilo.

"Nada, nada", ele repetiu com tristeza.

Beijei-lhe a testa; estava encharcada. "Então, o que você fez com ela?"

"Queimei."

"Queimou?" Era agora ou nunca. "Foi isso que você fez na escola?"

Ah, as lembranças que foram despertas! "Na escola?"

"Você pegou cartas — ou outras coisas?"

"Outras coisas?" Ele parecia agora estar pensando em algo distante, que só lhe chegava através da pressão de sua ansiedade. No entanto, chegou-lhe. "Se eu *roubei*?"

Senti que ficava vermelha até as raízes dos cabelos, e ao mesmo tempo me perguntei se seria mais estranho fazer tal pergunta a um cavalheiro ou vê-lo enfrentá-la com rodeios que davam a exata medida do quanto ele caíra no mundo. "Foi por isso que você não pôde voltar?"

A única coisa que ele sentiu foi uma surpresa pequena e desagradável. "A senhora sabia que eu não podia voltar?"

"Eu sei tudo."

Ele me dirigiu, ao ouvir isso, um olhar muito prolongado e muito estranho. "Tudo?"

"Tudo. Por isso, me diga se você..." Mas não consegui dizê-lo outra vez.

Miles conseguiu, com muita simplicidade. "Não. Eu não roubei."

Meu rosto deve ter demonstrado que eu acreditava nele plenamente; no entanto minhas mãos — mas era de pura ternura — o sacudiam como se para lhe perguntar por quê; se tudo aquilo era por nada, ele me condenara a meses de tormento. "Então o que foi que você fez?"

Ele olhou, com um sofrimento vago, a sua volta, levantando a vista, e respirou, duas ou três vezes, com dificuldade. Era como se estivesse no fundo do mar, erguendo os olhos em direção a uma tênue luminosidade esverdeada. "Bem... eu disse umas coisas."

"Só isso?"

"Eles acharam que bastava!"

"Para expulsar você?"

Nunca, em verdade, uma pessoa expulsa tivera tão pouco a dizer quanto essa pessoazinha! Miles parecia pesar minhas perguntas, porém de um modo perfeitamente distanciado e quase indefeso. "É, eu acho que não devia ter dito aquelas coisas."

"Mas a quem você as disse?"

Ele claramente tentava lembrar-se, mas não conseguia — perdera a resposta. "Não sei!"

Quase sorriu para mim na desolação de sua rendição, a qual era de fato praticamente, a essa altura, tão completa que eu devia ter deixado a coisa por aí. Mas eu estava passional — cega pela vitória, embora mesmo naquele momento o efeito exato que deveria tê-lo aproximado tanto já era uma separação mais acentuada. "Foi para todo mundo?", perguntei.

"Não; foi só para..." Porém limitou-se a balançar a cabeça um pouco, um gesto mórbido. "Não lembro os nomes deles."

"Então eram tantos assim?"

"Não — só uns poucos. Só aqueles de quem eu gostava."

De quem ele gostava? Eu me sentia transportada não para a claridade, e sim para uma escuridão ainda maior, e um minuto depois brotou de minha compaixão a horrenda possibilidade de que ele fosse inocente. Por um momento, aquilo me deixou confusa, sem chão, pois se ele fosse mesmo inocente, então o que seria *eu*? Paralisada, enquanto o momento durava, pela própria ideia dessa pergunta, soltei-o um pouco, de modo que, com um suspiro profundo, ele desviou o rosto de mim outra vez; quando o vi voltar-se de nòvo para a janela vazia, permiti, sentindo que agora não havia nada de que eu precisasse protegê-lo. "E eles repetiram o que você disse?", prossegui após um momento.

Em pouco tempo ele voltou a distanciar-se de mim, ainda respirando fundo e mais uma vez com o ar, se bem que agora sem manifestar irritação por esse motivo, de estar sendo mantido em confinamento contra sua vontade. Novamente, tal como antes, levantou a vista para o dia pardacento como se, daquilo que até então lhe dera sustento, não restasse nada mais do que uma ansiedade indizível. "Ah, sim", ele respondeu assim mesmo, "eles devem ter repetido o que eu disse. Para aqueles de quem *eles* gostavam", acrescentou.

Havia ali, de algum modo, menos do que eu esperava; porém insisti. "E essas coisas acabaram chegando..."

"Aos professores? Ah, sim!", respondeu com muita simplicidade. "Mas eu não sabia que eles iam contar."

"Os professores? Eles não contaram, não contaram nada. É por isso que estou lhe perguntando."

Ele voltou para mim outra vez o lindo rostinho febril. "É, eram ruins demais."

"Ruins demais?"

"As coisas que eu acho que andei dizendo. Para contar numa carta."

Não consigo dar um nome ao que havia de dolorosamente patético na contradição que representava tal fala na boca de tal falante; só sei que no instante seguinte dei por mim exclamando, com uma rudeza enfática: "Conversa fiada!". Mas logo em seguida minha voz deve ter soado suficientemente severa: "Que coisas foram essas, afinal?".

Minha severidade era toda dirigida contra seu juiz, seu carrasco; no entanto ela teve o efeito de levá-lo a esquivar-se outra vez, e esse gesto fez com que *eu*, num movimento único e com um grito irreprimível, saltasse direto sobre ele. Pois lá, outra vez, atrás da vidraça, como se para estragar aquela confissão e impedir que Miles respondesse, estava o horrendo responsável por nosso sofrimento — o rosto branco da danação. Senti um toque de náusea ao despencar de minha vitória e ver que toda a minha batalha recomeçava, de modo que a violência daquele salto funcionou apenas como uma grande traição. Vi Miles, no meio de meu ato, reagir adivinhando, e ao perceber que mesmo naquele instante ele apenas adivinhava, e que a janela para seus olhos continuava limpa, deixei que o impulso se inflamasse a fim de converter o clímax de seu desânimo na verdadeira prova de sua libertação. "Acabou, acabou, acabou!", gritei, enquanto tentava apertá-lo contra meu corpo, para meu visitante.

"Ela está *aqui*?", Miles perguntou, ofegante, seguindo com os olhos na direção das minhas palavras. Então, quando ao ouvir aquela estranha palavra "ela" eu, como um eco, exclamei-a também, "Senhorita Jessel, senhorita Jessel!" ele, com uma fúria súbita, respondeu.

Agarrei, estupefata, aquela suposição — uma repetição do que havíamos feito com Flora, mas isso fez-me apenas querer mostrar-lhe que a coisa era melhor ainda. "Não é a senhorita Jessel! Mas está na janela — bem à nossa frente. Está *ali* — aquele horror covarde, ali pela última vez!"

Ao ouvir isso, após um segundo em que sua cabeça moveu-se como a de um cão confuso ao farejar um rastro e em seguida sacudiu-se num pequeno frenesi, em busca de ar e luz, ele saltou sobre mim lívido de cólera, perplexo, correndo um olhar feroz em vão a sua volta e não conseguindo ver, embora agora, para mim, enchesse toda a sala, como um gosto de veneno, aquela presença vasta, avassaladora. "É *ele*?"

Eu estava tão decidida a obter minha prova por completo que me transformei em gelo para desafiá-lo. "O que você quer dizer com 'ele'?"

"Peter Quint — seu demônio!" Seu rosto mais uma vez, percorrendo a sala, exprimiu uma súplica convulsa. "*Onde?*"

Ainda soam em meus ouvidos sua entrega suprema do nome e seu tributo a minha dedicação. "Que importância tem ele agora, meu querido? Que importância ele jamais terá? Você agora é *meu*", atirei ao monstro, "mas ele perdeu você para sempre!" Então, para demonstrar meu feito: "Ali, *ali!*", disse eu a Miles.

Mas ele já se virara para trás num movimento espasmódico, olhara outra vez e não vira senão o dia tranquilo. Com o golpe da perda de que eu tanto me orgulhava, ele emitiu o grito de uma criatura lançada num abismo, e o gesto com que o agarrei foi como se eu o houvesse apanhado em plena queda. Apanhei-o, sim, segurei-o — pode-se imaginar com que paixão; mas no final de um minuto comecei a me dar conta do que eu na verdade tinha nas mãos. Estávamos sozinhos com o dia silencioso, e seu pequeno coração, não mais possuído, havia parado.

Posfácio

DAVID BROMWICH

A outra volta do parafuso ocupa um lugar singular na obra ficcional de Henry James. Ao lado de *Daisy Miller* (1878) e *Retrato de uma senhora* (1881), é o mais popular de seus escritos. No entanto, a prosa já manifesta a complexidade do estilo tardio de James, e a narrativa tem as características de um experimento controlado. A história gira em torno de uma pergunta de caráter metafísico e moral: até que ponto nosso conhecimento da realidade pode ser desvinculado da psicologia da pessoa de quem dependemos para termos um relato fiel? Para complicar a questão, temos acesso à história de modo duplamente indireto, à maneira dos romances históricos de Walter Scott ou de narrativas pessoais como *Robinson Crusoé* (1719). Ela nos chega como um segredo conservado por muitos anos, porém confiado a um conhecido da narradora cerca de quarenta anos antes; este conhecido, por sua vez, a lê em voz alta para um grupo de amigos numa noite de 25 de dezembro. Quanto à narradora em si, seu nome jamais é dito; ela é parcamente caracterizada e desaparece por trás das palavras de sua história. Ficamos sabendo que era a filha mais moça de um pároco do interior; que era muito apegada ao rapaz, dez anos mais moço que ela, a quem confiou o manuscrito; que havia ficado deslumbrada de imediato ao travar contato com o proprietário da casa que detinha o segredo, o tio e tutor das crianças que viviam em Bly desde que seus pais morreram na Índia. O proprietário encarava a relação de modo mais frio. Contratou a moça para cuidar das crianças, agradeceu-a com um aperto de mão e disse-lhe que jamais viesse perturbá-lo a respeito de qualquer aspecto de seu trabalho.

A história é fácil de resumir em linhas gerais. O menino de quem a narradora deve cuidar, Miles, acaba de ser expulso da escola, por razões jamais explicadas na carta seca enviada pelo diretor. Ela, que já tivera algumas premonições antes, vê fantasmas na propriedade pouco depois que o menino volta para casa, convence-se de que as crianças estão sendo ameaçadas por eles e assume a missão de purificar o ambiente e libertar os pequenos. Os fantasmas têm identidades definidas. São os espíritos desencarnados de Peter Quint, que trabalhava como criado do proprietário em Bly, homem encantador, porém brutal e de hábitos irregulares, que teve uma morte violenta em circunstâncias obscuras; e da srta. Jessel, a governanta anterior, que mantinha uma relação sexual com Quint e morreu pouco depois, de causas desconhecidas. A governanta descobre a identidade de Quint depois que vê um vulto espectral numa torre da casa. É a caseira, a sra. Grose, que conclui que esse vulto corresponde exatamente à descrição do antigo empregado. A governanta consegue apresentar detalhes de sua aparência de que não poderia ter ficado sabendo através de nenhuma outra fonte. (Os detalhes e a identificação da srta. Jessel só vêm à tona posteriormente e são mais vagos, mas a governanta também não poderia ter se informado deles por vias normais.) Enquanto isso, o trabalho dela é cuidar das crianças, Miles e Flora. Mas a movimentação por vezes inexplicável dos meninos pela casa e pela propriedade e sua obstinação ocasional despertam nela a suspeita de que os fantasmas exercem sobre as crianças um controle superior ao dela.

Essa inferência em pouco tempo a leva a formular uma teoria a respeito da influência moral dos fantasmas. Ela conclui que eles voltaram a Bly com o objetivo de atrair as crianças para o inferno e fazê-las sofrer seus tormentos junto com eles. Essa hipótese contradiz por completo as descrições que ela própria faz das crianças, vistas como seres inocentes e belos, feitos para serem amados. Mas quando tanto o menino quanto a menina negam ter qualquer consciência de presenças sobrenaturais — uma negação de início tácita, e depois feita de modo explícito por Flora e por Miles — os temores da governanta cristalizam-se. Ela instrui a sra. Grose a levar Flora embora de Bly para que, sozinha na casa com Miles, consiga fazê-lo confessar que tem contato com o fantasma de Peter Quint. Miles diz que não sabe do que ela está falando. Ela o pressiona a respeito da expulsão da escola; Miles dá uma explicação verossímil, ainda que perturbadora. Na cena final da história, a governanta horroriza-se ao ver Quint mais uma vez, e decide lutar contra o fantasma, disputando a posse da alma de Miles. Ela força o menino a confrontar uma imagem que ela vê e o obriga a enxergar ali o fantasma, e Miles, retorcendo-se ao virar-se para ela ou para a janela onde o vulto apareceu, morre nos braços dela. Se o que causou o choque fatal foi a confissão do encontro com o fantasma ou o medo súbito provocado pela veemente instigação da governanta, é algo que não fica claro, resultando num dos mais ambíguos desenlaces já dados a uma narrativa.

As discussões sobre a natureza do enredo concentram-se na questão de serem os fantasmas reais ou não, e no estado de espírito de controle possessivo ou virtude heroica que se apodera da governanta e a leva a dominar os outros. Graças à complexidade inevitável dessas discussões, *A outra volta do parafuso* tornou-se um dos textos modernos centrais para uma compreensão da natureza da interpretação na literatura — a gramática e os limites do processo perceptivo através do qual classificamos os materiais a serem interpretados como, de um lado, provas, e, de outro, conjecturas. Uma investigação adequada desse debate exigiria um ensaio específico; no entanto, a respeito de certos dados do enredo nenhum questionamento jamais foi levantado. Em primeiro lugar, além da governanta não se pode afirmar que alguma outra pessoa tenha visto os fantasmas. Miles e Flora negam qualquer contato. A caseira, a sra. Grose, não tem nenhum contato direto com eles, e sua atitude em relação à governanta oscila — fica surpresa e impressionada quando a jovem recém-empregada detecta a presença de Quint, mas encara com ceticismo os termos hiperbólicos de amor e temor que a governanta utiliza para exprimir seus sentimentos em relação às crianças. Mais para o final da narrativa, a sra. Grose passa a acreditar que Flora foi mesmo possuída por alguma força externa. Quanto à governanta, antes de ir trabalhar em Bly ela levou uma vida retirada; nunca antes assumiu um cargo como aquele; e sente-se profundamente angustiada por não saber se está à altura dele — oscila entre extremos de deleite e de apreensão antes mesmo de ter qualquer contato com um fantasma. Porém, se supusermos que consequentemente os fantasmas são alucinações, permanece sem explicação o fato de que ela nunca ouviu falar em Quint nem na srta. Jessel até que as ocasiões em que julga ver os dois levam a sra. Grose a lhe fazer um relato de suas carreiras em Bly. Ao todo, ela vê cada fantasma quatro vezes: Quint no alto da torre, depois do lado de fora da janela, depois no patamar da escada e outra vez colado à vidraça; a srta. Jessel, primeiro perto do lago, depois na escada, depois à escrivaninha e por fim novamente à beira do lago. Nessa última ocasião, a sra. Grose está ao lado da governanta e afirma da maneira mais clara que não está vendo nada.

São essas as pistas. Acrescente-se que toda a ação é radicalmente simplificada. O material é tão melodramático quanto o dos primeiros livros de James, como *The American* (1877); aqui, no entanto, as oportunidades de melodrama não são seguidas na direção por elas apontada. No final, nada se conclui a respeito de Quint e da srta. Jessel. E, para uma história em que a atenção do leitor fatalmente se concentra no enredo de modo quase exclusivo, o enredo tem muitas repetições. O que o torna interessante é a questão de serem ou não confiáveis as afirmativas das crianças de que elas não têm nenhum contato com os fantasmas, e a de ser ou não confiável a governanta-narradora quando ela afirma que Quint e a srta. Jessel são assombrações que exercem um efeito maligno na casa. A própria percepção, como somos levados a compreender graças à ênfase exclusiva no ponto de vista da governanta, tem um poder persuasivo que termina determinando a ação; e, ao demonstrar a verdade de que uma maneira de ver pode acabar se tornando contagiante, *A outra volta do parafuso* evoca outras narrativas perturbadoras, como "Young Goodman Brown" de Nathaniel Hawthorne (1835) e "A construção" (1924), uma alegoria de Kafka. Trata-se de um experimento caracteristicamente moderno, que mostra o quanto a narrativa depende do ponto de vista.

Os depoimentos do próprio autor a respeito de suas intenções nesta história são incoerentes e esquivos. James afirma que a escreveu obedecendo às convenções da história de fantasmas — apenas um gênero sensacionalista, na sua opinião, destinado a leitores que não estariam preparados para enfrentar as exigências de suas obras mais importantes. Numa carta a H. G. Wells, ele a deprecia como "essencialmente um *pot-boiler** [e um *jeu d'esprit*".[1] Porém James a republicou na edição de Nova York de suas obras em 1908, e dedicou um longo trecho de um prefácio e uma parte de outro aos proble-

---

* Livro escrito apenas para ganhar dinheiro. (N.T.)

mas artísticos levantados pela composição de uma história como essa. Temos aqui um segundo enigma. Pois se *A outra volta do parafuso* é uma narrativa romântica escrita por um esteta, integralmente moldada segundo considerações de "atmosfera" e com o fim de proporcionar prazer ao leitor no desenrolar de sua estrutura, ela é também a história de um tormento implacável: um texto que destaca e exibe o sofrimento humano.

A governanta é apresentada desde o início como um personagem cujos juízos de valor sobre todas as outras pessoas incorrem em extremos. Assim, ao primeiro contato com Flora, qualifica-a como "a criança mais bela que eu jamais vira" (p. 18). Ela dorme mal na sua primeira noite na casa porque fica pensando em Flora, cuja "visão de beleza angelical" de tal modo incita sua imaginação que a leva

> a levantar-me várias vezes e ficar andando de um lado a outro do quarto para assimilar todo o cenário e a situação; para contemplar, da minha janela aberta, a pálida alvorada estival, examinar as partes do restante da casa ao alcance da minha vista e tentar escutar, enquanto na penumbra que já se esvaía os primeiros pássaros começavam a chilrear, a possível recorrência de um ou dois ruídos, menos naturais e não externos, porém internos, que eu julgava ter ouvido. (p. 19)

Essa é uma de suas primeiras premonições. É como se a beleza sobrenatural de Flora gerasse a necessidade de uma antítese. E, num sentido mais amplo, as crianças embasam sua existência mental e emocional: "com as minhas crianças, que coisas do mundo tinham importância?" (p. 39). As oscilações entre presságios de depravação e insinuações de pureza angelical são observadas de modo perceptivo pela sra. Grose — a qual representa, de várias maneiras, o senso comum do leitor. Quando, por exemplo, um comentário inocente de Miles sobre sua capacidade de transgredir ("Pense só no que eu *poderia* fazer!") provoca uma reação de pânico na governanta, para quem o comentário revela "o que ele demonstrou na escola", esse juízo é por sua vez julgado pela sra. Grose: "Meu Deus, como a senhora mudou!" (p. 88). Quando a governanta afirma que Miles talvez seja irremediavelmente "mau" e ao mesmo tempo crê que ele parece ser alguém que jamais conheceu outra coisa que não o amor, a sra. Grose mais uma vez comenta: "E se ele era mesmo tão mau assim, como é que agora virou um anjinho?" (p. 68).

A governanta trama e pressiona. Será que a sra. Grose — ela pergunta — nunca viu Miles fazer nada de mau?

"Ah, se eu nunca o vi...? Não, eu não diria *isso*!"
Senti-me abalada outra vez. "Então a senhora já o viu..."
"Já, sim, senhora, graças a Deus!"
Refleti, e aceitei. "A senhora quer dizer que um menino que nunca faz nada..."
"Não é o *meu* tipo de menino!"
Apertei-a com mais força. "A senhora gosta de meninos que têm coragem de fazer travessuras?" Então, acompanhando sua resposta: "Eu também!", exclamei com gosto. "Mas não a ponto de contaminar..."
"Contaminar?" A palavra difícil a confundiu.
Expliquei-a. "Corromper."
Ela fitou-me, assimilando o significado; porém o efeito que este provocou nela foi um riso estranho. "A senhora teme ser corrompida por ele?" (p. 26)

Esse trecho é central para uma compreensão da motivação da narradora.

Todas as concessões e pressupostos momentâneos são captados pelo ritmo do diálogo, e ficamos com uma imagem inesquecível de projeção psicológica — os medos interiores da governanta transfigurados pela imaginação em uma ameaça palpável. Percebe-se, também, de que modo a governanta atribui o máximo de peso moralizante à palavra "mau", característica do mundo infantil no período vitoriano. Desconcertada pela atitude da sra. Grose, que não se deixa chocar por nada, ela se volta contra si própria, com um toque de secura — "A senhora gosta de meninos que têm coragem de fazer travessuras?" — e lisonjeia a criada que lhe é subordinada para levá-la a concordar que um menino assim seria capaz de "contaminar" os outros. Porém os termos "contaminar" e "corromper" implicam um salto não apenas quantitativo, mas também qualitativo, quanto ao mal sendo atribuído ao menino; a sra. Grose fica atônita, e seu comentário — "A senhora teme ser corrompida por ele?" — tem a força de uma ironia que revela os temores que estão por trás da consciência da governanta.

Seria apropriado dizer que nas cenas finais de *A outra volta do parafuso* uma confissão é arrancada: "Meu menino querido, meu menino querido, se você *soubesse* o quanto eu quero ajudá-lo!". Mas o desejo pessoal é convertido num dever religioso: "eu só queria que você me ajudasse a salvá-lo!" (p. 118). Assim, no seu entender, a governanta atua ao mesmo tempo como advogada de Miles e como sua inquisidora. Mesmo supondo que para ele se abrira "a imaginação de todo o mal", diz ela, "todo o meu senso de justiça ansiava por uma prova de que esse mal tinha florescido em forma de ato" (p. 120). Ansiava por uma prova ou pela dissipação de sua suspeita? Outra vez: ela "estava preparada para ficar sabendo do pior que havia a saber" (p. 96). (Preparada para saber ou ávida por saber?) "Ele vai me procurar — vai confessar. Se confessar, está salvo. E se ele se salvar..." "Então a *senhora* também se salva?" (p. 142) (A pergunta irônica é mais uma vez atribuída à sra. Grose.) O massacre espiritual em que consiste o processo de salvação a que a governanta sujeita Miles só é admirável se for aceita a teoria de que nada no mundo é mais importante do que provar que os fantasmas existem de fato.

"Não havia ambiguidade", diz a governanta na primeira cena à beira do lago, "na convicção que de uma hora para outra ganhou forma em mim quanto ao que eu haveria de ver bem à minha frente, do outro lado do lago, se levantasse a vista" (p. 55). Ela tem certeza de que vai ver, e então vê. Após uma breve pausa: "Então novamente levantei a vista — encarei o que era preciso encarar" (p. 56). A governanta diz à sra. Grose o quanto está segura em relação a sua visão e à ideia de que as crianças sabem o que negam saber: "praticamente me joguei nos braços dela: 'Elas sabem — é monstruoso: elas *sabem*, elas sabem!'" (p. 57). Está convicta de que "a coisa é mais profunda, mais profunda! Quanto mais repiso, mais vejo, e quanto mais vejo, mais tenho medo. Não sei mais o que eu *não* vejo — que medo eu *não* tenho!" (p. 58). A ironia, num momento como esse, nem precisa ser destacada por uma segunda pessoa. A governanta teme que o que ela não sabe venha a ser ainda mais apavorante do que ela já sabe. Ao mesmo tempo, ela é capaz de ver qualquer coisa, sentir qualquer medo.

Quando vê pela segunda vez a srta. Jessel à beira do lago, a governanta já não consegue mais se dar conta de nenhuma discrepância entre sua consciência e as das outras pessoas: "Ela está ali, ali!" (p. 129), enquanto a sra. Grose permanece "atordoada" (p. 130). Quando ela grita de novo, para Flora: "Ela está ali, sua pequena infeliz — ali, ali, *ali*" (p. 130), a criança reage perplexa: "Não estou vendo ninguém. Não estou vendo nada. *Nunca* vi nada. Acho que a senhora é má. Não gosto da senhora!" (p. 132). A frase final tem um toque de autenticidade infantil impecável; suspeitar que a criança esteja sendo ardilosa seria tornar-se quase tão insensível quanto a governanta. A fim de arrancar uma confissão, é necessário estar imune ao remorso e à piedade, mas a governanta está bem armada para essa demonstração de força. Pois para a mentalidade de um inquisidor inspirado, a própria ausência de provas é a mais forte prova de que algo está sendo ocultado. O páthos mórbido da narrativa provém do modo como a governanta chega a ter dúvidas por alguns instantes, porém assim mesmo permanece inflexível: prevendo a possibilidade de que esteja errada, ela age de tal modo que qualquer resultado venha a comprovar sua teoria. Isso se aplica tanto à sua visão da influência dos fantasmas quanto à sua convicção de que sua intervenção é acertada. Diz ela: "Eu só podia seguir em frente tomando a 'natureza' como minha confidente e levando-a em conta [de modo que tudo aquilo que ela fizesse lhe parecesse natural], tratando minha monstruosa provação como um esforço numa direção estranha, é claro, e desagradável, mas algo que exigia, afinal, para manter uma fachada serena, apenas outra volta do parafuso da virtude humana comum" (p. 145). Se tomar a natureza como confidente a justifica diante do tribunal dos sentimentos naturais, a "fachada serena" a justifica perante a sociedade. Ela sabe, porém, que o "sucesso da minha vontade inflexível" (p. 145) pode parecer malévolo, e assim constrói sua defesa com muita cautela.

Até que ponto a governanta engana a si própria? No diálogo do capítulo 16 que atua como transição para o clímax, ela faz uma inferência que, por efeito de suas omissões, quase constitui uma mentira. Quando a sra. Grose lhe pergunta o que foi que o fantasma da srta. Jessel confessou a ela — quando na verdade elas não trocaram uma palavra —, a governanta dá uma resposta pitoresca: "Que ela sofre os tormentos...!" (deixando que a outra preencha a lacuna). Porém não chega ao ponto de chamar de verdade a cena que ela inventou; e quando a sra. Grose pergunta sem rodeios "Quer dizer que ela falou?", a resposta da governanta é evasiva: "A coisa chegou a isso". Ela acrescenta, a respeito da reação da sra. Grose à imagem do fantasma suportando os fogos do inferno: "Foi isso, na verdade, que a fez, à medida que foi formando a imagem, ficar boquiaberta" (p. 111). Será que a verdade a teria deixado tão boquiaberta quanto a invenção a deixou? A governanta, observe-se, adota aqui a expressão do tipo *"of an* X",* que James utiliza com frequência em suas últimas narrativas quando quer fazer uma insinuação deslizante, ou dar uma nuança mais sutil do que uma adjetivação. Temos aqui uma das pistas de que ele se vale para comparar a governanta a um artista e indicar de que modo uma mente que reflete sobre si própria corre o risco de incorrer em cavilações. Por outro lado, a governanta está mesmo inventando — não se trata mais de encobrimento da verdade, mas de mentira pura e simples — quando afirma que a srta. Jessel "quer a Flora" para "compartilhar" (p. 111) com ela os tormentos dos danados. A visão desses tormentos era uma interpretação, porém baseava-se na expressão que ela viu no rosto do fantasma. O detalhe referente ao desejo de compartilhar os tormentos é uma invencionice vulgar. Porém é apenas a projeção, no mundo do além-túmulo e numa outra sofredora, do martírio que a governanta, numa passagem anterior, imagina para si própria:

> Eu tinha uma certeza absoluta de que voltaria a ver o que já havia visto, mas algo dentro de mim me dizia que ao me oferecer corajosamente como o único objeto de tal experiência, ao aceitar, convidar, sobrepujar toda a situação, eu serviria de vítima expiatória e garantiria a tranquilidade do resto da casa. (p. 50)

* No original, *"of a truth"*, "na verdade". (N.T.)

Expor-se ao pior dos tormentos constitui uma prova da pureza do sacrifício.

Ora, como James sabia com base na história dos julgamentos das bruxas em Salem — um tópico importante para seu livro sobre Nathaniel Hawthorne, pois um dos antepassados de Hawthorne atuara como juiz nos julgamentos —, a verdade de uma acusação não é determinada pelo sofrimento do acusador. Assim, o que podemos afirmar com certeza a respeito de Peter Quint e da srta. Jessel? Que Quint era "muito confiado" com as crianças — e isso não é pouca coisa. "Muito confiado com o *meu* menino?" "Muito confiado com todo mundo" (p. 51), responde a sra. Grose. A repetição indica falta de respeito e ousadia sexual. Com base na palavra confiável da sra. Grose, ficamos sabendo também que Quint era "esperto" e "manhoso" — capaz de inventar álibis, e o tipo de pessoa que volta e meia precisa de um álibi. Mas é só a palavra nada confiável da governanta que nos diz, com base nisso, que Quint teria uma influência fatal sobre as crianças. "Influência?", pergunta a sra. Grose, e nesse ponto a inquisidora a instiga do modo mais apelativo: "Sobre as nossas preciosas e inocentes crianças" (p. 52). A densidade da adjetivação é inversamente proporcional à exatidão da percepção.

Seja como for, o que a governanta vê em matéria de fantasmas é real e é revelado apenas a ela. As conclusões que ela tira, porém, são criações suas, e também é sua a responsabilidade por elas. Quint e a srta. Jessel não são os agentes ativos da história, como as bruxas de *Macbeth* não o são da tragédia shakespeariana. Por que a governanta os amplifica tanto? Para R. P. Blackmur, *A outra volta do parafuso* é a história de "uma má consciência — uma consciência vitalmente destituída, porém vitalmente desesperada para transformar suas alucinações em realidade". Os fantasmas, nessa leitura crítica, são realidades tênues canalizadas de acordo com os objetivos da governanta, para realizar efeitos que conscientemente ela talvez rejeitasse. Para Blackmur, os eventos do enredo decorrem dos esforços da "crueldade humana transformada em consciência e motivação numa personalidade obcecada, possessiva, possuída".[2] Porém essa crueldade transformada em consciência constitui um paradoxo extravagante; Blackmur parece querer dizer outra coisa: a consciência agindo no sentido de autorizar a crueldade. Essa leitura psicológica aproxima James de Ibsen e D. H. Lawrence — os analistas da repressão e das imposturas por meio das quais a vontade se recusa a conhecer a si própria.

De fato, James interessava-se pela vontade que tem o ser humano de impor seu poder aos outros negando, ao mesmo tempo, ter qualquer motivação egoísta. Uma qualidade notável das pessoas em que esse impulso se manifesta com força é sua capacidade de intensificar a credibilidade sem acrescentar mais provas. Esse poder se afirma externamente como uma distorção ou internamente como autoengano, mas em ambos os casos ele gera o que, no plano da imaginação, corresponde a fatos. Marius Bewley vê *A taça de ouro* (1904) como "uma gigantesca parábola em que vemos de que modo a verdade é fabricada com mentiras". Essa criação de realidade por força da vontade e do cálculo, segundo Bewley, "termina degradando a dignidade das pessoas que são o objeto da ação, porém atribui aos sujeitos da ação um fascínio e um poder sinistros". Em seu ensaio sobre James em *The complex fate*, ele afirmou também que a governanta era uma dessas pessoas que são mais sujeitos do que objetos das ações: ela "'evoca', por meio de uma espécie de magia simpática, demônios que correspondem a sua própria malignidade oculta". Assim, a governanta é que "é possuída, e sua possessão se torna uma variedade da possessão com a qual ela ameaça as crianças". Os fantasmas, acrescentou Bewley, "ameaçam as crianças apenas de modo indireto, apenas na medida em que eles atuam através da governanta".[3] Essa interpretação implacável explica a ênfase com que a governanta — e somente ela — relata as aparições dos dois fantasmas.

É preciso reconhecer que há em toda a história uma espécie de teatro de sombras provocativo. James joga dos dois lados. Quando julga adequado, intensifica de tal modo a suscetibilidade da narradora aos fantasmas que ela consegue exprimir a convicção com tanta habilidade quanto o próprio James. A menção ao "rosto branco de danação" (p. 158) de Quint convenceu um dos mais sutis leitores de James, Graham Greene, de que os fantasmas eram uma manifestação de uma malignidade real. James tensiona os limites da credulidade e da dúvida mais uma vez quando põe na boca da governanta palavras que ele poderia tranquilamente ter usado em outro lugar: "Comparei-a antes a uma sentinela, mas aquele giro lento, por um instante, mais lembrava uma fera perplexa à ronda" (p. 154). A fera que ameaça John Marcher, o protagonista de "A fera na selva" (1903), é mencionada com a mesma linguagem utilizada quando a voz do narrador é a do próprio James.

Porém a explicação racional, mais para o final da história, pesa mais do que os efeitos sobrenaturais. Isso ocorre quando Miles por fim revela à governanta o motivo pelo qual ele foi castigado na escola. Ele dissera, aos meninos de quem gostava, coisas que não deviam ser ditas: "eles devem ter repetido o que eu disse. Para aqueles de quem *eles* gostavam" (p. 157). É impossível escapar da conclusão de que Miles falou sobre sentimentos sexuais, objetos ou atos sexuais. E é quando fica sabendo que "essas coisas" acabaram chegando aos ouvidos dos professores que a governanta assume uma postura francamente inquisitorial, e pergunta, num turbilhão de palavras: "Que coisas foram essas, afinal?". Ela fala como "seu juiz, seu carrasco". Nesse momento exato ela vê o rosto horrendo de Quint do outro lado da vidraça, e enquanto Miles se esquiva de sua pergunta severa, "num movimento único e com um grito irreprimível" (p. 158) ela salta sobre ele. A governanta vê Peter Quint como a fera à ronda, e a si própria como a protetora, mas a imagem e a ação aqui indicam o contrário.

A *outra volta do parafuso* foi publicada pela primeira vez em 1898, em doze partes, na revista *Collier's Weekly*, sendo reeditada mais tarde naquele mesmo ano, na Inglaterra e nos Estados Unidos, em edições diferentes, como a primeira de duas narrativas num livro intitulado *The two magics*. A história longa que vem em segundo lugar no livro, *Covering end*, também envolve uma mulher que assume o comando de uma casa velha. Embora a "magia" nesse caso seja benigna, a protagonista de *Covering end* lembra a governanta de *A outra volta do parafuso* sob um aspecto: a vontade de domínio a instiga a tornar-se, na prática, a proprietária da casa. Também essa segunda protagonista, ainda que utilizando as armas cômicas da vivacidade e da espirituosidade, amedronta e domina todos os que a enfrentam.

Quando relançou *A outra volta do parafuso* em 1908 na edição de Nova York de seus contos e romances, James colocou-a num contexto bem diferente, ao lado de *The two faces*, *The liar* e *Os papéis de Aspern*. Dessa vez o que unia as narrativas não era nenhuma semelhança superficial no enredo, e sim uma afinidade psicológica e moral entre elas em que James deve ter pensado muito. *The two faces* e *The liar* são histórias sobre artistas — o da primeira é um árbitro do gosto e da moda que prega uma peça maliciosa em um rival, escolhendo roupas inadequadas para a noiva dele quando ela faz sua estreia na sociedade; o da segunda é um grande retratista que tenta, através da arte, desmascarar um mentiroso contumaz, e através da crueldade desse processo termina por desmascarar a si próprio. *Os papéis de Aspern* tem semelhanças bem mais perturbadoras com *A outra volta do parafuso*. O narrador é, mais uma vez, um protagonista cujo nome não é revelado, e a narrativa não é confiável na medida em que o sentido último da história é sugerido ao leitor, mas escapa à percepção do narrador. Ele é um caçador de documentos — faz buscas em castelos, investiga espólios —, um "canalha editor" do tipo que acredita que determinado "achado" pode resolver o enigma de uma existência. A paixão que impele sua busca é apresentada como uma ideia fixa, como a ideia da governanta de que as crianças têm uma outra vida oculta, em que aprendem lições de maldade com a srta. Jessel e Peter Quint.

Há um momento, perto do final de *Os papéis de Aspern*, em que o narrador se expõe a seu próprio desprezo. Ele vê que fabricou, de modo mais completo do que pensava, um afeto falso pela solteirona que vai herdar as cartas que ele deseja:

> Fiquei desconcertado ao pensar que havia agido de modo tão culpável. [...] Não me lembro com muita clareza da sucessão de eventos e sentimentos desse dia longo e confuso, que passei quase todo perambulando de um lado para o outro. [...] Só lembro que havia momentos em que eu apaziguava minha consciência, e outros em que eu a atacava dolorosamente.

A governanta tem mais sucesso na tentativa de apaziguar a consciência; perto do clímax do enredo, porém, ela experimenta uma dúvida semelhante — de fato, há um paralelismo entre as duas passagens que certamente veio à mente de James quando ele publicou as histórias lado a lado. "Eu me sentia", diz a governanta (depois que Miles lhe fala sobre as crianças de quem ele gosta na escola), transportada não para a claridade, e sim para uma escuridão ainda maior, e um minuto depois brotou de minha compaixão a horrenda possibilidade de que ele fosse inocente. Por um momento, aquilo me deixou confusa, sem chão, pois se ele fosse mesmo inocente, então o que seria *eu*? (pp. 156-7)

Se Miles não havia feito nada de errado, sua missão deixaria de ter sentido, e quando por um momento não há nenhum rosto à janela, ela afirma que "*suffered*",* "sentindo que agora não havia nada de que eu precisasse protegê-lo" (p. 157). Para ela, é insuportável não ter um dever a cumprir. Antes matar o menino de susto a deixar que sua tarefa não tenha mais razão de ser.

Tanto o método narrativo quanto o enredo de *A outra volta do parafuso* partem de uma premissa comum a várias das obras ficcionais do último período de James. Somos levados a crer que algo deve ser preservado ou redimido, e a importância crucial desse trabalho é revelada a um personagem em particular; o personagem, porém, demonstra uma vontade que passa da preocupação para a obsessão. Em *Os espólios de Poynton* (1897), o padrão torna-se particularmente visível por efeito da excentricidade da obsessão em pauta. Trata-se de uma tragédia de salão sobre sucessões e heranças. Aqui, não são coisas humanas, no sentido normal do termo, e sim os belos objetos colecionados por uma mulher de bom gosto numa bela casa que estão ameaçados e pedem proteção. Os objetos expostos em Poynton constituem a maior paixão da vida da sra. Gereth; seu filho Owen, porém, deve herdá-los juntamente com a casa, e ele pretende casar-se com uma arrivista que das coisas só conhece o preço. A sra. Gereth empreende a tarefa de transferir

---

* No contexto, a acepção de "*suffer*" é "permitir", mas o sentido mais comum da palavra é "sofrer". (N.T.)

os objetos, e com eles o afeto de seu filho, para uma companheira mais merecedora. Por um feliz acaso, sua jovem confidente, Fleda Vetch, apaixona-se pelos espólios e por Owen; mas embora Owen retribua seu amor, Fleda — um exemplar perfeito da consciência severa que James admirava — não pode aceitar os presentes. Ela precisa provar que seu amor é desinteressado por meio de uma dupla renúncia. As duas mulheres terminam juntas, numa casa menor chamada Ricks, com uns poucos objetos que a sra. Gereth dispõe de modo a surtir um efeito misterioso. Apegamo-nos mais, diz o romance, a coisas do que a pessoas, e a única maneira de combater essa sedução é tratar as pessoas como fins em si. Esse esforço pode levar à infelicidade; se tal ocorrer, trata-se de um preço que os eleitos de James estão dispostos a pagar. A caridade de Fleda Vetch é, sob esse aspecto, uma versão mais humilde do sacrifício de Milly Theale em *As asas da pomba* (1902).

Há um detalhe em *Os espólios de Poynton* que ganha uma importância considerável no contexto de *A outra volta do parafuso*. O apego aos mortos aqui se revela através do contato com um fantasma que assombra o cenário de uma decepção amorosa. As duas mulheres falam sobre essa descoberta numa passagem extraordinária perto do final do romance, em que Fleda, dirigindo-se à sra. Gereth já na casa menor, revela ter consciência de "uma espécie de quarta dimensão" lá existente:

> É uma presença, um perfume, um toque. É uma alma, uma história, uma vida. Há muito mais aqui do que apenas a senhora e eu. Somos na verdade exatamente três!
> — Ah, se está contando os fantasmas...!
> — É claro que estou contando os fantasmas, ora! Parece-me que os fantasmas contam em dobro... pelo que foram e pelo que são.

As duas concordam que não havia fantasmas em Poynton porque o lugar era "gloriosamente feliz", mas "de agora em diante haverá um ou dois fantasmas" por causa do amor frustrado de Fleda e Owen. Enquanto isso, o fantasma de Ricks, "sua querida tia", exerce seu encantamento ao transmitir a lembrança de "um grande e conformado sofrimento". Isso nos faz pensar no fantasma da srta. Jessel em *A outra volta do parafuso*, quando aparece na escada, "o corpo meio curvado e a cabeça, numa atitude de desamparo, nas mãos" (p. 79--80). Essa mesma aparição é vista pela última vez "desonrada e trágica", e a governanta a acusa: "Sua mulher terrível, infeliz!" (p. 108). Será o fantasma de Ricks, com seu "grande e conformado sofrimento", de algum modo um eco mais benigno da srta. Jessel? Para ver a coisa sob esse ângulo, torna-se necessário ir além do moralismo da governanta, que reprime qualquer sentimento de compaixão pela mulher decaída. Em ambos os enredos, a catástrofe é causada por uma pessoa cuja vontade fanática a torna disposta a sacrificar a felicidade e a própria vida no altar da crença no dever. No entanto, é à governanta, que começa a trabalhar numa casa estranha, que cabe o ônus de uma responsabilidade mais perigosa e frágil. Ao contrário da sra. Gereth, cabe a ela proteger não objetos, e sim crianças, e sua confidente (a sra. Grose) é fraca demais para detê-la e respeitosa demais para adverti-la de modo mais enfático.

Ao lado da fábula da preservação e da redenção, outro enredo privilegiado por James é o que diz respeito à penetração de um segredo que quase constitui um crime. *The sacred fount* (1901) exibe o método da inquisição implacável nas mãos de uma pessoa mais sutil do que a governanta — um narrador com uma inteligência discriminadora bem semelhante à do autor. O narrador, mais uma vez sem nome, julga-se capaz de perceber uma troca de forças vampirescas entre os homens e as mulheres que formam dois casais de hóspedes de fim de semana numa mansão no interior. A maior parte do tempo, ele não revela a ninguém essa fantasia macabra, porém vai ampliando seu significado com base numa autoconfiança ingovernável, imune às críticas dos outros. Tal como a governanta, vê a falta de provas como um forte indício de que as provas foram ocultadas. Tampouco o detém o pensamento de que sua ideia é improvável: "Nada, admito, é um milagre, a partir do momento em que se está na trilha da causa". Assim, uma ocorrência que parece negada pelas leis da natureza — que um homem envelheça mais depressa enquanto sua companheira se torna mais jovem; que os parceiros de uma relação amorosa ou casamento troquem entre si características pessoais — torna-se possível graças à explicação engenhosa do detetive. A respeito de qualquer coisa que *pareça* um milagre por romper com os protocolos das leis da natureza, o narrador de The sacred fount argumenta: "Digamos que se trata de um fato meu". Pode-se reclassificar um milagre como um fato rotulando-o, entre minhas crenças pessoais, como "um fato meu"?

Tal hipótese representa uma extensão radical do pragmatismo — semelhante a uma doutrina exposta mais ou menos na mesma época pelo irmão de James, o psicólogo e filósofo William James (1842-1910). A ideia de que a crença não apenas influencia, mas determina em grande parte a experiência, inclusive nossa experiência do mundo físico, é um elemento bem conhecido dos ensaios de William James sobre a fé e a moral. "Há casos", escreveu ele em "The will to believe", "em que um fato não pode surgir a menos que uma fé preliminar o anteceda". Porém sua argumentação dá um longo passo adiante: *"A fé num fato pode ajudar a criar o fato"*.[4] Assim, um fantasma dificilmente pode aparecer na ausência de uma fé em fantasmas já existente na mente da pessoa que o vê; do mesmo modo, um artista só pode criar se tiver uma fé adequada ao seu projeto. O narrador de *The sacred fount* é um artista que aplica sua imaginação a seres vivos. Talvez aja com base num método errôneo, ou com um objetivo equivocado, mas nem por isso deixa de ser um artista. Tão logo nos damos conta disso, porém, percebemos com certo mal-estar que é possível dizer o mesmo da governanta, a qual fala sobre seu trabalho em termos de projeto, arte e da correta exposição de suas crenças ao seu público. A única diferença é que ela tem poder sobre as pessoas de quem cuida. Seu posto a habilita a produzir, através de atos de vontade, um efeito duradouro sobre coisas que vão além de suas próprias crenças. Em comparação com ela, o narrador de *The sacred fount* é um mero diletante.

O paralelismo se sustenta de modo insólito porque a arrogância nos dois casos é a mesma. "Eu não estava lá para salvá-los", diz o narrador de *The sacred fount*, referindo-se aos hóspedes. "Estava lá para salvar a pérola preciosa de minha investigação e para endurecer, com esse objetivo, meu coração." O coração da governanta endurece sem que ela o perceba nem desconfie que esteja praticando excessos culposos. Pelo contrário, ela está lá para salvá-las. Apenas a textura da narrativa revela seu apego à pérola de sua "investigação" e o orgulho que neutraliza sua piedade. Há um diálogo revelador em *The sacred fount* a respeito da natureza das maravilhas: "Talvez não se trate exatamente de você as ver..." "E sim de eu as perpetrar?". A transição da fábula mais antiga para a mais nova não obrigou James a mudar muita coisa. Os fantasmas da primeira história se transformam nas relações postuladas da segunda.

Todas essas narrativas — *Os espólios de Poynton*, *The sacred fount* e *A outra volta do parafuso* — causam certo desconforto que perdura após a leitura. As forças sobrenaturais conservam seu poder sobre a imaginação mesmo depois que uma explicação natural de suas origens se revela suficiente. Mas isso é característico da psicologia das narrativas fantásticas em que o mistério sobrevive à sua explicação: o conto de E. T. A. Hoffmann. "O homem de areia" (1816) e o filme *Vertigem* (1958) de Alfred Hitchcock são exemplos óbvios. Numa história como *A outra volta do parafuso*, somos levados a ver a conquista da probabilidade como a recompensa de uma imaginação voluntariosa. (Se a história fosse narrada na terceira pessoa, a desproporção entre a vontade da governanta e as vontades mais fracas dos outros personagens ficaria ainda mais acentuada.) Mas a governanta captura o leitor também. Ela nos prende de tal modo que sentimos — contra todas as probabilidades, contra uma verdade psicológica claramente demonstrável — que talvez ela tenha de fato percebido a malignidade de uma influência externa. A ideia persiste apesar de tudo que sabemos a respeito do modo como ela gerou os efeitos por ela relatados.

Os momentos mágicos mais difíceis de explicar em termos naturais são o episódio em que Miles, do lado de fora da casa, sozinho, no escuro, olha para o alto da casa, onde Quint supostamente faz sinais para ele; e, mais tarde, os terríveis xingamentos pronunciados por Flora, segundo o relato da sra. Grose, que não parecem ter uma origem terrena. Por outro lado, a cena final com Miles é cuidadosamente equilibrada de modo a fazer com que o leitor se incline para a leitura que suas crenças já o levavam a adotar. Se Miles vê Quint ou se ele vê apenas a governanta fazendo caretas horrendas e gritando — trata-se de uma pergunta a ser respondida conforme a inclinação do leitor. Porém a paixão da governanta, seu isolamento, sua posição de destaque na história, tudo isso nos leva a aceitar o que ela diz. A falta de imaginação teria deixado as coisas como estavam em Bly; talvez a vida de Miles fosse poupada; mas é claro que preferimos a ação à inércia. Além disso, a história não nos apresenta uma voz contrária para nos advertir de que talvez não houvesse corrupção alguma a ser remediada. A imaginação, porém, tem seu próprio fanatismo, e sua própria crueldade. A perturbação que muitos leitores sentem ao final de *A outra volta do parafuso* deriva de um impasse entre a imaginação, que cria os objetos sobre os quais e contra os quais ela atua, e um instinto de delicadeza, ou prudência, ou simples decência, que proíbe que se interfira nos corpos e nas almas, até mesmo em nome da purificação.

Nenhuma das narrativas que sugerem uma comparação com *A outra volta do parafuso*, e nenhuma das que James publicou no mesmo livro que ela, é uma história de fantasmas. São, isto sim, histórias sobre a vontade e a crença. Mas o fato é que James escreveu várias histórias de fantasmas, e parece provável que ele acreditasse em fantasmas — acreditasse em termos de experiência e não como uma verdade metafísica; uma espécie de experiência que ele não afirmava ter tido, mas que era interessante na ficção por dizer algo a respeito daquele que a vivencia. Em todos os elementos de sua postura imaginativa, Henry James estava de acordo com seu irmão. As experiências com fantasmas bem documentadas são, escreveu William James em "What psychical research has accomplished" (1897), "apenas manifestações extremas de uma verdade comum: os segmentos invisíveis de nossas mentes são suscetíveis, sob condições raramente realizadas, de agir e ser objetos da ação dos segmentos invisíveis de outras vidas conscientes". William James, em suma, recusava-se a aceitar os termos do dilema racional, segundo os quais uma força aparentemente não natural ou é o que afirma ser ou então deve ser classificada de imediato como impostura pura e simples. A ciência genuína caracteriza-se por "sempre tomar uma espécie conhecida de fenômeno e tentar estender seu alcance".[5] Portanto, como sabemos, com relação a nossa própria mente, que não podemos ter consciência completa dos instintos, motivações e percepções armazenadas que a constituem, há que aceitar que tais elementos ocultos estão presentes, e assim, no que concerne a entidades como fantasmas, que têm algumas das propriedades da mente, a melhor maneira de compreender seu significado é estudá-las em conjunção com nossas próprias mentes.

Uma curiosidade vulgar acerca da *fronteira precisa* entre existência material e imaterial pode impedir-nos de reconhecer o quanto as duas têm em comum. Pois "a única categoria completa de nosso pensamento", segundo William James, "é a categoria da personalidade", e a própria personalidade, corretamente considerada, é "uma condição dos eventos".[6] É isso que une o que sabemos sobre a esfera material com o que sabemos sobre a imaterial. Henry James concordava, e o afirmou em muitas ocasiões, de modo particularmente memorável no seu ensaio sobre Ivan Turguêniev (1874) e no prefácio à edição de Nova York de *Retrato de uma senhora* (1908). Aceitar essa verdade sobre a personalidade implica tanto uma extensão quanto uma limitação do nosso interesse pelo sobrenatural. Implica, por exemplo, como observou William James, que "afloramentos da região subliminar para a supraliminar", tais como alucinações e impulsos súbitos, podem depender do acesso que uma dada personalidade tenha aos estímulos providos de fontes desconhecidas. E os fantasmas (tanto quanto os relatos de experiências com fantasmas) podem mentir. Em "The final impressions of a psychical researcher" (1909), William James concluiu: "Nossa região subconsciente parece, via de regra, ser dominada ou por uma louca 'vontade de fazer de conta' ou por uma curiosa força externa que nos impele à personificação".[7] Isso se aplica ao modo como os médiuns podem assumir experiências para as quais suas vidas não fornecem pista nenhuma — experiências extraídas do que William James denomina "espaço exterior". Aplica-se também a fenômenos como mortos que penetram nas mentes dos vivos, pessoas que atingem um grau de empatia com outras acima do natural e pessoas vivas que têm uma relação normal de companheirismo com os mortos, tal como vemos no conto de Henry James "The way it came" (1896). A diferença — observou William James sem fanfarrice — entre os filósofos que estudam os fenômenos psíquicos e as pessoas comuns é apenas o fato de que estas, ainda que reconheçam a existência de fenômenos inexplicáveis, imaginam que eles sejam bem raros, enquanto aqueles sabem que eles são comuns.

Assim, para William James, não pode haver uma explicação precisa para os fantasmas vistos pela governanta sem uma compreensão da personalidade dela. Pois tais revelações atuam através de médiuns incorrigivelmente humanos, e atuam apenas sobre mentes suscetíveis. Certos fenômenos, criaturas ou sobrevivências de experiências terrenas podem penetrar uma consciência "privilegiada" muito embora sejam rejeitados pela consciência, cujas barreiras permanecem mais altas. No entanto, o que o médium ouve, ou o que aquele que percebe reconstrói, nunca pode ser separado da personalidade, do acesso à experiência e do conhecimento comum daquele a quem é dada a consciência extraordinária. Um relato sobre aparições diz algo sobre aquele que o relata. Se, portanto, dizemos que os fantasmas de *A outra volta do parafuso* são reais, devemos acrescentar que sua realidade é condicionada pelo caráter e pela situação da governanta.

Podemos ter a impressão de que uma perplexidade aparente da história desaparece ao reconhecermos que a governanta é a principal agente, e que os demônios claramente não agem. Podemos aceitar que Quint e a srta. Jessel existam e ao mesmo tempo afirmar que quem produz os efeitos é a governanta. O germe da história, num episódio contado a James pelo arcebispo da Cantuária, não abria espaço para tal complexidade. Anotou James em seu caderno:

Os criados, maus e depravados, corrompem e pervertem as crianças; as crianças são más, cheias de maldade, num grau sinistro. Os criados *morrem* (a história não dá detalhes sobre as mortes) e suas aparições, seus vultos, voltam para assombrar a casa *e também* as crianças, parecendo convocá-las, convidá-las, oferecer-se a elas, de lugares perigosos, do fundo de um valado etc. — para que as crianças se destruam a si próprias, se percam, respondendo ao chamado, submetendo-se ao poder deles.[8]

Detalhes dessa anotação sobrevivem nas cenas em que os fantasmas aparecem no alto da torre e atrás do lago, e em que o rosto horrendo de Quint aparece à janela, em busca de sua presa. No entanto, a ideia — bem difundida desde *Hamlet* — de que um fantasma pode levar uma pessoa à autodestruição — "E se ele vos atrair para a correnteza, senhor?" — praticamente não aparece na textura final da história.

James deu uma pista melhor para os efeitos que desejava e que não desejava no prefácio ao volume da edição de Nova York que incluía "The altar of the dead", "A coisa realmente certa" e "Sir Edmund Orme". Sobre a representação artística de um fenômeno natural, ele comentou: "queremo-lo nítido, sem dúvida, mas também o queremos espesso, e obtemos a espessura na consciência humana que o recebe e registra, que o amplifica e interpreta". Para ele, prodígios apresentados de modo "direto" resultavam numa sensação inferior. "Eles mantêm todo o seu caráter, por outro lado, quando se entretecem em alguma outra história — a indispensável história da relação *normal* de alguém com alguma coisa." Ele entende por "história" o mesmo que William James entendia por "personalidade" — uma pista que indica que, para ele, o âmago do interesse da história só poderia ser a governanta. No prefácio ao volume que contém *A outra volta do parafuso*, juntamente com *Os papéis de As-*

pern, James segue a mesma pista, dizendo a respeito de Quint e da srta. Jessel que eles não eram "'fantasmas', de modo algum [...] e sim duendes, elfos, diabretes, demônios construídos de modo tão impreciso quanto os dos velhos julgamentos de bruxas". Essa maneira de se exprimir não chega a afirmar a realidade dos "duendes, elfos, diabretes", e sim utiliza os depoimentos sobre esses seres para ilustrar o caráter daqueles que testemunham tais prodígios. Quando James diz que seus fantasmas são construídos de modo "impreciso", ele quer dizer que não são feitos de modo a resistir a uma análise racional: um fato a respeito de sua composição do qual a governanta não se dá conta. "A essência da questão", afirma o autor no mesmo prefácio, "era a vileza da motivação das criaturas predatórias evocadas", mas a revelação aparente aqui é espertamente evasiva. "Evocadas", naturalmente, é a palavra crucial, mas a motivação não é necessariamente apenas dos demônios. James não diz quem ou o que constitui a causa da ação. O que está claro é que ele, como autor, evocou uma motivação nos demônios, tal como a governanta evocou uma reação nas crianças.

Escrevendo a amigos a respeito da história, James aproximou-se cautelosamente de um reconhecimento da centralidade da governanta. Ele foi modesto, mas não exatamente ingênuo, ao dizer a H. G. Wells que *A outra volta do parafuso* era um *pot-boiler*. A F. W. H. Myers (um líder no campo das pesquisas de fenômenos paranormais) ele escreveu, em tom mais categórico, que seu interesse residia na "transmissão às crianças do mal e do perigo mais infernais que se podem imaginar"; assim, o que devia prender o interesse do leitor é a "condição, da parte delas, de serem crianças tão *expostas* quanto a mente humana é capaz de conceber".[9] Mas expostas a quê? O mal que as ameaça é canalizado e comunicado pela governanta.

"O futuro decidirá", escreveu Sigmund Freud em sua interpretação do caso Schreber, "se na trova há mais delírio do que eu penso, ou se no delírio há mais verdade do que os outros atualmente acreditam."[10] James tinha o maior interesse por essa mesma perplexidade. Que autoridade devemos conceder à interpretação delirante de um fenômeno delirante? Novamente, voltamos ao mais profundo dos mistérios da imaginação: o poder que um delírio pode ter de sobreviver à sua refutação por meio de argumentos sensatos. Os parágrafos finais da história são perturbadores porque vemos neles a destruição de uma vida; no entanto, testemunhamos a morte de Miles como um evento cuja causa não pode ser levantada e um crime que não pode ser punido. A narrativa deixa também um ressaibo que todo admirador de Henry James tem que reconhecer. Por mais magistral que seja a história, sua textura é marcada por um anseio quase predatório de ordem e simetria. A expressão "outra volta do parafuso" refere-se à afirmação da governanta de que, ao forçar Miles, o que ela fazia era apenas "outra volta do parafuso da virtude humana comum", mas a mesma expressão fora usada antes num contexto que a ligava mais diretamente a James do que a essa narradora. Indaga Douglas — o narrador da história que serve de moldura à narrativa principal e a pessoa a quem o manuscrito foi confiado: "Se uma criança dá ao fenômeno outra volta do parafuso, o que me diriam de *duas* crianças...?" (p. 8). Nesse ponto, Douglas aumenta a aposta de modo perverso, e revela-se uma espécie de connaisseur da crueldade. O mesmo distanciamento se observa no comentário feito por James no prefácio: "meus valores são todos positivamente lacunas, salvo na medida em que um horror ávido, uma piedade promovida, uma perícia criada — efeitos pontuais de causas fortes de que nenhum autor deixa de se orgulhar — possam projetar neles figuras mais ou menos fantásticas. Ele elogia a narrativa por ela utilizar de modo hábil uma série de "lacunas" que dirigem a atenção do leitor exclusivamente ao projeto realizado do escritor.

James levou esse tipo de narrativa mais longe do que o haviam feito Wilkie Collins e Robert Louis Stevenson. Fez com que sua essência fosse psicológica, porém manteve as propriedades superficiais de ação sensacionalista. Uma perplexidade diante da contradição — uma confusão que, como vimos, é mantida nas cartas do autor — explica algumas das reações dos leitores da época. Porém o tom chocado e acusatório de algumas das primeiras resenhas indica uma reação mais sensível do que a aprovação complacente dos intérpretes acadêmicos. "Após a leitura dessa história horrível", escreveu o resenhista do *Independent* de Long Island, em 5 de janeiro de 1899, "tem-se a sensação de haver testemunhado uma violação da mais sagrada e doce fonte da inocência humana, e ajudado a conspurcar — ao menos por assistir a tudo impotente — a natureza pura e confiante das crianças."[11] A pudicícia aqui é apenas aparente, pois o resenhista captou indícios de uma traição oculta na história, um remédio que arde em vez de atenuar a dor. A governanta parece ser confiável, e sua dedicação implacável a seu dever parece apontar para um final feliz. Porém jamais ficamos suficientemente convencidos de sua sanidade mental para aceitar que ela salva Miles de uma danação que existe fora de sua imaginação. E a mesma resenha aponta para um outro fato perturbador: embora os fantasmas sejam demoníacos, o desenrolar da história nada tem de conspurcador, a menos que imaginemos que a governanta é uma força sinistra. O resenhista percebeu esse fato sem conseguir exprimi-lo com palavras. A desagradável verdade é reconhecida desde o início — até certo ponto para nos inocular contra a indignação — pelo narrador externo, Douglas: ele afirma jamais ter ouvido uma história comparável a essa em matéria de "monstruosidade — monstruosidade!" e do que há "de mais insólito, revoltante, horrendo, doloroso" (p. 8). O horror e a dor são sem dúvida tremendos se pensamos que as crianças são torturadas por um conflito em que a governanta, sem querer, as envolve.

Caso se tratasse da história de uma menina que é retirada de uma casa mal-assombrada, e cujo irmão nela permanece e morre de susto, não se justificaria uma adjetivação tão pesada. Porém, no final das contas, o que é mais horrível e doloroso provém da governanta — de sua credibilidade e sua vontade monstruosa, e da insistência sedutora com que ela age como intermediária dos fantasmas. É isso que intensifica o tormento do leitor, tal como o das crianças. A diferença é que as crianças são obrigadas a vê-la como louca (e, assim sendo, suas vidas estão nas mãos de uma doida) ou então como uma pessoa possuída pela visão de uma verdade terrível. O leitor, por outro lado, tem liberdade para julgar a mente da governanta com base nas inversões e projeções que ela exibe e nos seus efeitos aparentemente involuntários. Em *A outra volta do parafuso*, vemos o caso mais perigoso que se pode imaginar da confusão entre os deveres da consciência e o surgimento de uma obstinação fantástica a partir de uma paixão reprimida. A narrativa da governanta revela o poder da ficção de criar realidades ao produzir efeitos reais a partir de crenças pessoais. Nós, leitores, somos poupados dos efeitos por poder testemunhar o processo. São dados os materiais necessários para uma explicação do modo como as crenças se formaram. Ficamos sabendo quais os terrores ocultos que geraram, como reação, a forma final assustadora dos demônios. No entanto, mesmo reconhecendo a fonte humana de um terror mais que humano, nem por isso nossa piedade e dúvida se tornam menos perturbadoras e inescrutáveis.

NOTAS

1 Carta a H.G. Wells, 9 de dezembro de 1898. In: JAMES, Henry; EDEL, Leon (org.). *Letters*, v. 4. Cambridge: Belknap Press of Harvard University Press, 1974-84, v. 4, p. 86.
2 BLACKMUR, R.P.; MAKOWSKY, Veronica A. (org.) *Studies in Henry James*. Nova York: New Directions Publishing Corporation, 1983, p. 168-9.
3 BEWLEY, Marius. *The complex fate*. Londres: Chato & Windus, 1952, p. 87, 91 e 110.
4 JAMES, William. *The will to believe and other essays in popular philosophy*. Nova York: Longmans, Green and Co., 1907, p. 25.
5 JAMES, William. "What psychical research has accomplished". In: JAMES, William; MURPHY, Gardner e BALLOU, Robert O. (orgs.) *James on psychical research*. Nova York: Viking Press, 1960, p. 42.
6 *James on psychical research*, p. 47.
7 Idem, p. 322.
8 JAMES, Henry; EDEL, Leon e POWERS, Lyall H. (orgs.) *The complete notebooks*. Oxford: Oxford University Press, 1987, p. 109.
9 Carta a Frederic W.H. Myers, 19 de dezembro de 1898. In: *Letters*, v. 4, p. 88.
10 FREUD, Sigmund. "Psychoanalytic notes on an autobiographical account of a case of paranoia". In: *Complete psychological works*, 24 v. Londres, 1955--74, v. 12, p. 79 [Ed. brasileira: FREUD, Sigmund. *Obras completas*, v. 10: *"O caso Schreber" e outros textos* [1911-1913], trad. Paulo César de Souza. São Paulo: Companhia das Letras, 2010]. Freud diagnosticou a psicose de Daniel Paul Schreber, o qual julgava que Deus o estava transformando em mulher, como emanação de um desejo de submeter-se ao pai. A frase é citada por Shoshana Felman em "Turning the screw of interpretation", Yale Franch Studies 55/56 (1977), pp. 94-207, em que é levantado um padrão repetitivo de cegueira e desmistificação que a

história de James supostamente passaria da governanta para todos os intérpretes.

11   JAMES, Henry; ESCH, Deborah e WARREN, Jonathan (orgs.). *The turn of the screw*, edição crítica, 2ª ed. Nova York: W.W. Norton & Company, 1999, p. 156.

Cronologia

1843 15 DE ABRIL HJ nasce em 21 Washington Place, na cidade de Nova York, o segundo dos cinco filhos de Henry James (1811-82), teólogo especulativo e pensador social, cujo pai, um empresário rigoroso, havia acumulado uma fortuna estimada em três milhões de dólares, uma das dez maiores dos EUA na época; e de sua mulher Mary (1810-82), filha de James Walsh, comerciante de algodão nova-iorquino de origem escocesa.

1843-5 Acompanha os pais a Paris e Londres.

1845-7 A família James volta aos EUA e vai morar em Albany, estado de Nova York.

1847-55 A família fixa residência na cidade de Nova York; HJ estuda com professores particulares e em escolas particulares.

1855-8 A família viaja pela Europa: Genebra, Londres, Paris, Boulogne-sur-Mer. De volta aos EUA, vai morar em Newport, Rhode Island.

1859-60 A família volta à Europa: HJ estuda numa escola de ciências, depois na Academia (a futura Universidade) de Genebra. Aprende alemão em Bonn.
SETEMBRO DE 1860 A família volta para Newport. HJ faz amizade com o futuro crítico T. S. Perry (segundo o qual HJ "vivia escrevendo histórias, em sua maioria de caráter romântico") e o artista John La Farge.

1861-3 Sofre lesão na coluna ajudando a apagar um incên-

dio em Newport e é dispensado do serviço militar durante a Guerra de Secessão (1861-5).
OUTONO DE 1862 Ingressa na faculdade de direito de Harvard, onde cursa um período.
Começa a enviar contos para revistas.

1864　FEVEREIRO Primeiro conto, "A tragedy of error", publicado anonimamente na *Continental Monthly*.
MAIO A família se muda para 13 Ashburton Place, Boston, Massachusetts.
OUTUBRO Publica resenha não assinada na *North American Review*.

1865　MARÇO Primeiro conto assinado, "The story of a year", publicado na *Atlantic Monthly*. Artigos de crítica de HJ saem no primeiro número da *Nation* (Nova York).

1866-8　Continua a escrever resenhas e contos.
VERÃO DE 1866 W. D. Howells, romancista, crítico e jornalista influente, torna-se seu amigo.
NOVEMBRO DE 1866 A família muda-se para 20 Quincy Street, perto de Harvard Yard, em Cambridge, Massachusetts.

1869　Viaja por motivo de saúde para a Inglaterra, onde conhece John Ruskin, William Morris, Charles Darwin e George Eliot; vai também à Suíça e à Itália.

1870　MARÇO Morre, nos EUA, sua querida prima Minny Temple.
MAIO HJ, ainda doente, volta contra a vontade para Cambridge.

1871　AGOSTO-DEZEMBRO Primeiro romance breve, *Watch and ward*, é publicado como folhetim na *Atlantic Monthly*.

1872-4　Vai com a irmã doente, Alice, e a tia Catherine Walsh ("tia Kate") à Europa em maio de 1872. Publica escritos de viagem na *Nation*. Entre outubro de 1872 e setembro de 1874, passa temporadas em Paris, Roma, Suíça, Bad Homburg e Itália sem a família.
PRIMAVERA DE 1874 Inicia o primeiro romance mais longo, *Roderick Hudson*, em Florença.
SETEMBRO DE 1874 Volta aos EUA.

CRONOLOGIA

1875 JANEIRO Publica *A passionate pilgrim, and other tales*, sua primeira obra a sair em formato de livro. Seguem-se *Transatlantic sketches* (escritos de viagem) e *Roderick Hudson*, em novembro. Passa seis meses na cidade de Nova York (111 East 25th Street), depois três meses em Cambridge.

11 de NOVEMBRO Chega a 29 *rue de* Luxembourg, Paris, como correspondente do *New York Tribune* ao voltar para a Europa.

DEZEMBRO Inicia novo romance, *The American*.

1876 Conhece Gustave Flaubert, Ivan Turguêniev, Edmond de Goncourt, Alphonse Daudet, Guy de Maupassant e Émile Zola.

DEZEMBRO Muda-se para Londres e fixa residência em 3 Bolton Street, bem perto de Piccadilly.

1877 Viaja a Paris, Florença e Roma.

MAIO Publica *The American*.

1878 Conhece William Gladstone, Alfred Tennyson e Robert Browning.

FEVEREIRO Uma coletânea de ensaios, *French poets and novelists*, é o primeiro livro que HJ publica em Londres.

JULHO A novela *Daisy Miller* sai como folhetim na *Cornhill Magazine*; em novembro sai na *Harper's*, nos EUA. A novela firma a reputação de HJ nas duas margens do Atlântico.

SETEMBRO Publica o romance *The Europeans*.

1879 DEZEMBRO Publica o romance *Confidence* e o estudo crítico *Hawthorne*.

1880 DEZEMBRO Publica o romance *Washington Square*.

1881 OUTUBRO Volta aos EUA; vai a Cambridge.

NOVEMBRO Publica o romance *The portrait of a lady*.

1882 JANEIRO Morre a mãe. Vai a Nova York e Washington, DC.

MAIO Viaja à Inglaterra, mas volta aos EUA, com a morte do pai, em dezembro.

1883 VERÃO Volta a Londres.

NOVEMBRO Edição de sua obra ficcional reunida em quatorze volumes é publicada pela Macmillan.

DEZEMBRO Publica *Portraits of places* (escritos de viagem).

1884 Sua irmã Alice muda-se para Londres e vai morar perto de HJ.
SETEMBRO Publica *A little tour in France* (escritos de viagem) e *Tales of three cities* (contos); seu importante texto crítico "The art of fiction" é publicado na *Longman's Magazine*.
Torna-se amigo de Robert Louis Stevenson e Edmund Gosse. Escreve à sua amiga americana Grace Norton: "Jamais me casarei. [...] Sinto-me ao mesmo tempo suficientemente feliz e suficientemente infeliz tal como estou".

1885-6 Publica dois romances como folhetins, *The Bostonians* e *The Princess Casamassima*.
6 DE MARÇO DE 1886 Muda-se para apartamento em 34 De Vere Gardens.

1887 PRIMAVERA E VERÃO Vai a Florença e Veneza. Continua amizade (iniciada em 1880) com a romancista americana Constance Fenimore Woolson.

1888 Publica o romance *The reverberator*, a novela *The Aspern papers* e *Partial portraits* (crítica).

1889 A coletânea de contos *A London life* é publicada.

1890 O romance *The tragic muse* é publicado.

1891 Adaptação para o teatro de *The American* é apresentada em curta temporada no interior e em Londres.

1892 FEVEREIRO Publica *The lesson of the master* (coletânea de contos).
MARÇO Morte de Alice James em Londres.

1893 Três volumes de contos publicados: *The real thing* (março), *The private life* (junho) e *The wheel of time* (setembro).

1894 Mortes de Constance Fenimore Woolson e R. L. Stevenson.

1895 5 DE JANEIRO A peça *Guy Domville* é recebida com vaias e aplausos ao estrear no St. James's Theatre; HJ para de escrever para o teatro por muitos anos. Viagem à Irlanda. Começa a andar de bicicleta. Pu-

blica dois volumes de contos, *Terminations* (maio) e *Embarrassments* (junho).
1896 Publica o romance *The other house*.
1897 Dois romances, *The spoils of Poynton* e *What Maisie knew*, são publicados.
FEVEREIRO Passa a ditar em vez de escrever, devido a problemas com os pulsos.
SETEMBRO Aluga a Lamb House, em Rye, Sussex, Inglaterra.
1898 JUNHO Muda-se para a Lamb House. Entre seus vizinhos em Sussex incluem-se os escritores Joseph Conrad, H. G. Wells e Ford Madox Hueffer (Ford).
AGOSTO Publica *In the cage* (romance curto).
OUTUBRO "The turn of the screw", história de fantasmas incluída em *The two magics*, é sua obra de maior sucesso desde *Daisy Miller*.
1899 ABRIL O romance *The awkward age* é publicado.
AGOSTO Torna-se proprietário de Lamb House.
1900 Raspa a barba.
AGOSTO Publica a coletânea de contos *The soft side*. Faz amizade com a romancista americana Edith Wharton.
1901 FEVEREIRO Publica o romance *The sacred fount*.
1902 AGOSTO Publica o romance *The wings of the dove*.
1903 FEVEREIRO Publica a coletânea de contos *The better sort*.
SETEMBRO Publica o romance *The ambassadors*.
OUTUBRO Publica livro de memórias *William Wetmore Story and his friends*.
1904 AGOSTO Viaja aos EUA, pela primeira vez em 21 anos. Vai a Nova Inglaterra, Nova York, Filadélfia, Washington, Saint Louis, Chicago, Los Angeles, San Francisco e ao Sul.
NOVEMBRO Publica o romance *The golden bowl*.
1905 JANEIRO É convidado pelo presidente Theodore Roosevelt a ir à Casa Branca. É eleito para a American Academy of Arts and Letters.
JULHO De volta a Lamb House, começa a revisar suas obras para a "edição nova-iorquina" de obras

	reunidas, *The novels and tales of Henry James*. OUTUBRO Publica *English hours* (escritos de viagem).
1906-8	Seleciona, revisa, escreve prefácios e encomenda ilustrações para a "edição nova-iorquina" (publicada em 1907-9, 24 volumes).
1907	JANEIRO Publica *The American scene* (escritos de viagem).
1908	MARÇO Peça teatral *The high bid* montada em Edimburgo.
1909	OUTUBRO Publica *Italian hours* (escritos de viagem). Tem problemas de saúde.
1910	AGOSTO Vai aos EUA com o irmão William, que morre uma semana após chegarem. OUTUBRO Publica *The finer grain* (contos).
1911	AGOSTO Volta à Inglaterra. OUTUBRO Publica *The outcry* (romance adaptado de peça teatral). Começa a escrever autobiografia.
1912	JUNHO Recebe doutorado honorário da Universidade de Oxford. OUTUBRO Aluga apartamento em 21 Carlyle Mansions, Cheyne Walk, Chelsea; sofre crise de herpes-zóster.
1913	MARÇO Publica *A small boy and others* (primeiro volume da autobiografia). Seu retrato é pintado por John Singer Sargent como presente de aniversário ao completar 70 anos.
1914	MARÇO Publica *Notes of a son and brother* (segundo volume da autobiografia). AGOSTO Começa a Primeira Guerra Mundial; HJ envolve-se profundamente com a causa britânica e ajuda refugiados belgas e soldados feridos. OUTUBRO Publica *Notes on novelists* (crítica).
1915	Nomeado presidente honorário da American Volunteer Motor Ambulance Corps. JULHO Torna-se cidadão britânico. Escreve ensaios sobre a guerra, recolhidos em *Within the Rim* (1919), e o prefácio para *Letters from America* (1916) do poeta Rupert Brooke, que morrera no ano anterior.

1916   2 DE DEZEMBRO Sofre um derrame.
É agraciado com a Ordem do Mérito nas condecorações de Ano-Novo.
28 de FEVEREIRO Morre. Após funeral na Chelsea Old Church, suas cinzas são clandestinamente levadas para os EUA por sua cunhada e enterradas no túmulo da família em Cambridge.

PHILIP HORNE

1ª EDIÇÃO [2011] 10 reimpressões

Esta obra foi composta em Sabon por Alice Viggiani e impressa em ofsete pela Geográfica sobre papel Pólen Natural da Suzano S.A. para a Editora Schwarcz em julho de 2023

A marca FSC® é a garantia de que a madeira utilizada na fabricação do papel deste livro provém de florestas que foram gerenciadas de maneira ambientalmente correta, socialmente justa e economicamente viável, além de outras fontes de origem controlada.